ΓΙΑΤΙ ΕΜΕΝΑ Η ΨΥΧΗ ΜΟΥ

ΤΗΣ ΙΔΙΑΣ

ΜΑΡΩ ΔΟΥΚΑ

ΓΙΑΤΙ ΕΜΕΝΑ Η ΨΥΧΗ ΜΟΥ

Πεζογραφήματα

ΤΡΙΤΗ ΕΚΔΟΣΗ

ΕΚΔΟΣΕΙΣ
ΠΑΤΑΚΗ

Θέση υπογραφής δικαιούχου/-ων δικαιωμάτων πνευματικής ιδιοκτησίας, εφόσον η υπογραφή προβλέπεται από τη σύμβαση.

Εκδόσεις Πατάκη – Σύγχρονη ελληνική λογοτεχνία
Πεζογραφία – 305
Μάρω Δούκα, *Γιατί εμένα η ψυχή μου*
Υπεύθυνος έκδοσης: Κώστας Γιαννόπουλος
Διορθώσεις: Νάντια Κουτσουρούμπα
Σελιδοποίηση: Μαρία Π. Καπένη
Φιλμ, μοντάζ: Μαρία Ποινιού-Ρένεση
Copyright© Σ. Πατάκης ΑΕΕΔΕ (Εκδόσεις Πατάκη) και
Μάρω Δούκα, Αθήνα, 2012
Πρώτη έκδοση από τις Εκδόσεις Πατάκη, Αθήνα, Μάρτιος 2012
Ακολούθησε η ανατύπωση Μαρτίου 2012
Η παρούσα είναι η τρίτη εκτύπωση, Ιούνιος 2012
ΚΕΤ 7895   ΚΕΠ 537/12
ISBN 978-960-16-4499-8

ΠΑΝΑΓΗ ΤΣΑΛΔΑΡΗ (ΠΡΩΗΝ ΠΕΙΡΑΙΩΣ) 38, 104 37 ΑΘΗΝΑ
ΤΗΛ.: 210.36.50.000, 210.52.05.600, 801.100.2665 - FAX: 210.36.50.069
ΚΕΝΤΡΙΚΗ ΔΙΑΘΕΣΗ: ΕΜΜ. ΜΠΕΝΑΚΗ 16, 106 78 ΑΘΗΝΑ, ΤΗΛ.: 210.38.31.078
ΥΠΟΚΑΤΑΣΤΗΜΑ ΒΟΡΕΙΑΣ ΕΛΛΑΔΑΣ: ΚΟΡΥΤΣΑΣ (ΤΕΡΜΑ ΠΟΝΤΟΥ – ΠΕΡΙΟΧΗ Β΄ ΚΤΕΟ),
570 09 ΚΑΛΟΧΩΡΙ ΘΕΣΣΑΛΟΝΙΚΗΣ, Τ.Θ. 1213, ΤΗΛ.: 2310.70.63.54, 2310.70.67.15 - FAX: 2310.70.63.55
Web site: http://www.patakis.gr • e-mail: info@patakis.gr, sales@patakis.gr

ΠΕΡΙΕΧΟΜΕΝΑ

Το βλέμμα του παιδιού

ΣΤΑΘΗΚΕ ΓΙΑ ΜΙΑ ΜΑΤΙΑ. Παλιά, πόσο παλιά; Αγόραζε κι αυτός παλιά την εφημερίδα του. Τράβηξε την προσοχή του το πρόσωπο του παιδιού. Το μισάνοιχτο στόμα, τα μάτια του. Δευτέρα πρωί, έπειτα από ένα μαύρο Σαββατοκύριακο που είχε μείνει κουκουλωμένος στο κρεβάτι, ανήμπορος να πάρει τα πόδια του, κλαμένος, θεονήστικος, όταν πληροφορήθηκε το συμβάν του Σαββάτου, δεν έδωσε και πολλή σημασία. Κρίμα το παιδί, σκέφτηκε μόνο. Το 'χε, λέει, πυροβολήσει κατάστηθα ένας αστυνομικός. Κι επακολούθησε ο μεγάλος χαμός. Κοίταζε τώρα μαγνητισμένος το πρωτοσέλιδο με τη φωτογραφία. Χθες το κήδεψαν. Και τι γράφει κάτω χαμηλά; *Πυρ «Ζητάδων» μετά την κηδεία.* Και παρακεί: *Ο Καραμανλής ζήτησε συναίνεση από τους αρχηγούς αλλά του έδειξαν την κάλπη.* Και πιο κάτω: *Τέλειωσαν τα ψέματα.* Μα τελειώνουν τα ψέματα; Ούτε στη ζωή ούτε και στην πολιτική τελειώνουν ποτέ. Άλλο όμως τα ψέματα τα μικρά,

9

τα δικά του ψέματα. Άλλο τα μεγάλα. Και τι τον νοιάζουν τα μεγάλα, αν αυτός με τα δικά του, τα μικρά, κατέστρεψε τη ζωή του; Αλλά πρώτα να πάρει τα τσιγάρα του. Χωρίς να το πολυσκεφτεί αγόρασε και την εφημερίδα. Θα μπορούσε ίσως να πιει κι έναν ελληνικό πιο πάνω στην καφετέρια. Δεν καλάκουσε, κάτι του είπε ο περιπτεράς, τον καλημέρισε; Χαμογέλασε κι αυτός. Πόσο κοστίζει ένα χαμόγελο; Καλό χαβά βρήκανε, συνέχισε ο περιπτεράς, φαστ φουντ την κάνανε και την πολιτική, με το που κερδίζει τις εκλογές μια παράταξη και σχηματίζει κυβέρνηση, έπειτα από έναν χρόνο, δυο το πολύ, αρχίζει λάβρα η αξιωματική αντιπολίτευση, από κοντά και οι αποδέλοιποι, μπας κι υστερήσουν, να της ζητάνε εν χορώ να παραιτηθεί. Τι να του πει; Θα 'θελε να του πετάξει ένα, ας πούμε, όποιος έχει τα γένια έχει και τα χτένια, μα δεν του βγήκε. Ένευσε μόνο με το κεφάλι ένα, ας πούμε, δε βαριέσαι, σε δουλειά να βρισκόμαστε... Πήρε κι ένα φακελάκι παστίλιες ευκαλύπτου. Φαρμάκι το 'νιωθε το σάλιο του.

Αν στεκόταν σε καμιά γωνία για κάνα δυο ώρες; Μπορεί και κάτι να 'πιανε, τα έκτακτα έξοδά του σήμερα, την εφημερίδα και τις παστίλιες, μια χαρά θα τα εξοικονομούσε από τους περαστικούς. Εδώ και μέρες γυροφέρνει την ιδέα. Αλλά όχι στην περιοχή του. Δεν είχε όμως τη δύναμη να απομακρυνθεί και πολύ. Το αριστερό του πόδι είχε πάλι μουδιάσει. Θα καθίσει παραδίπλα στο παγκάκι να συνέλθει. Αλλά μήπως πρώτα πρέπει να βάλει και καμιά μπουκιά στο στομάχι; Το 'χε λαχταρήσει κι ένα τσιγαράκι, δεν το άντεχε όμως ο οργανισμός του τώρα αμέσως, χάλια και το κεφάλι του, πρέπει να κάνει και οικονομία, κάτι να σκεφτεί, κάτι να υπολογίσει. Τι του διαφεύγει; Τα κοινόχρηστά του, πάντως, τα εξόφλησε. Η κυρία διαχειριστού, κι ας τον στραβοκοιτάζει, δεν θα 'χει τίποτα τώρα να του προσάψει. Και το ηλεκτρικό του το πλήρωσε και το νερό. Αγόρασε και τα φάρμακά του. Επέστρεψε και στο ψιλικάκι τα πενήντα ευρώ που χρωστούσε. Όλα καλά. Έχει όμως να κυλήσει τόσες μέρες. Έρχονται και Χριστούγεννα. Πώς το 'λεγε η μάνα του; Πολλά έλεγε η μακαρίτισσα. Αμέ και το άλλο: Και τι δε ρίχνει ο ουρανός που η γη να μην το πίνει! Την απόπαιρνε τότε, δεν την άντεχε. Και νά το τώρα, αυτό ειδικά, κομμένο και ραμμένο για την περίπτωσή του. Και τι δεν κατάπιε τους τελευταίους μήνες, τι δεν ανέχτηκε. Στομώνει όμως κάποτε και η γη, αρνείται να πιει άλλο. Τι γίνεται τότε; Πλημμύρες γίνονται, καταστροφές. Κι αυτός πόσο θ' αντέξει; Αλλά εκείνο με την κοιλιά πώς το 'λεγε; Δυο πατάτες να βράσεις, λίγο ρύζι, ένα αυγό, μια ντομάτα να κόψεις, κι είσαι κύριος. Η κοιλιά δεν έχει παράθυρα. Έχει όμως τις ανάγκες της, μάνα. Θέλει ένα γλυκάκι, ένα φρούτο. Πολύ του άρεσαν τα φρούτα. Τα κεράσια, τα βερίκοκα. Αλλά και τα χειμωνιάτικα φρούτα. Ένα απλό μήλο. Πόσω λογιώ μήλα υπάρχουν; Πότε ήταν, πριν από πόσα χρόνια, που είχε πάει με παρέα στο Πήλιο; Σαν όνειρο. Ούτε τα ονόματα, ούτε τα πρόσωπα της παρέας θυμάται. Θυμάται όμως τον ανθό της μηλιάς. Καμία σχέση με της αμυγδαλιάς τον ανθό. Και θυμάται πως ήταν ερωτευμένος. Αντωνία την έλεγαν; Ή μήπως ήταν τότε με την Έλλη; Η παστίλια τού έκανε καλό. Κι εδώ στο παγκάκι αραγμένος θα πάρει την ανάσα του. Μα μπορεί μια γυναικεία φωνή να γίνει τόσο τραχιά, τόσο βάναυση; Δικηγόρος, σου λέει, μορφωμένη, πολιτισμένη. Τη φαντάστηκε στο γραφείο της, με τ' ακουστικό στ' αυτί και με το πτυχίο της κορνίζα στον τοίχο. Αξημέρωτα πάλι τον είχε κάνει η κακότροπη κουρέλι. Και τι δεν του είπε. Μα πώς δεν το 'χε σκεφτεί; Απενεργοποίησε αμέσως το κινητό του. Κι έτσι θα το αφήσει στο εξής, κλειστό. Σάμπως έχει κάτι να χάσει; Από ποιον περιμένει τηλεφώνημα; Πρόσεξε πάλι το παιδί. Πού κοιτάζει; Εντάξει, προς τον φακό της μηχανής. Αλλά τελευταία στιγμή ξεφεύγει κάπως το βλέμμα του, σαν να του έχει αποσπάσει την προσοχή κάτι.

Έχωσε το χέρι στην τσέπη, έβγαλε τα ψιλά του και τα μέτρησε. Έξι ευρώ. Δηλαδή για έξι μέρες μια χαρά το ψωμί του. Εξασφάλισε ήδη και για πέντε μέρες τα τέσσερα ημερήσια τσιγάρα του. Από καιρό θα 'πρεπε να το 'χει κόψει, ας το περιορίσει τουλάχιστον. Ούτε λόγος όμως να καθίσει στην καφετέρια για κείνο το καφεδάκι που θα 'θελε. Αύριο, έχει ο Θεός. Και γιατί να μη στηθεί κι αυτός σε καμιά ουρά; Ένα πιάτο φαΐ, ό,τι να 'ναι, θα το εξασφάλιζε. *Να 'χαμε και δυο στάλες μέλι...* Χρόνια έχει να τραγουδήσει. Από πότε; Και να χορέψει. Χόρευε παλιά, τραγουδούσε, η ψυχή της παρέας. Είδε τον εαυτό του με τη Σόνια, σ' εκείνον τον χορό δεν ήταν που συναντήθηκαν οι ματιές τους και τους χτύπησε κατακέφαλα ο έρωτας; Άνοιξε την εφημερίδα. Γιατί να μην τη διαβάσει ολόκληρη; Μπορεί και μια βδομάδα να του πάρει. Να μην αφήσει ούτε μια στήλη αδιάβαστη. Παλιά συνήθιζε να την ξεκοκαλίζει την εφημερίδα του. Τα άρθρα κυρίως. Και όσο να 'ναι, ένιωθε κι αυτός ότι είναι σε όλα μέσα, ότι μαθαίνει τι γίνεται παντού στον κόσμο. *Δικαιοσύνη, όχι ελεημοσύνη!* Αντικριστά στη σελίδα μια BMW X3. Γυρίζει φύλλο: *Κυβέρνηση του χάους και του φόβου.* Κι άλλο φύλλο: *Κατάσταση πολιορκίας!* Διαβάζει, αλλά δεν καταλαβαίνει τι διαβάζει. Η επανάσταση προ των πυλών; Πού τη θυμήθηκε την έκφραση; Σηκώνει το κεφάλι, ησυχία. Έκλεισε την εφημερίδα. Ήρθε και κάθισε δίπλα του μια γριά. Την κοιτάζει λοξά. Ακουμπάει η γριά στα γόνατά της μια πάνινη σακούλα. Αναστενάζει. Κάτι λέει για την υγεία της. Ότι δεν έχει να αγοράσει τα φάρμακά της. Ότι κάνει αγώνα για να εξοικονομήσει το γιαουρτάκι της, ένα ποτήρι γάλα, μια φέτα ψωμί.

Τι να της πει; Ότι σ' αυτόν το γάλα προκαλεί δυσφορία στο στομάχι, γι' αυτό και το αποφεύγει; Ότι τα γαλακτοκομικά γενικώς ποτέ δεν τα σήκωσε

13

ο οργανισμός του; Καημό το 'χε η μάνα του. Άσε με, μάνα. Άσε με, κυρά μου. Θέλει να της πει: Τι δουλειά έχεις, παλιόγρια, στο παγκάκι μου; Αλλά δεν της το 'πε. Ας είχα μόνο τα νιάτα σου, συνεχίζει η γριά. Ποια νιάτα; δεν με βλέπεις; Ούτε πενήντα δε σε κάνω... Ώρα είναι να πιάσει τώρα και την πάρλα μαζί της. Έλα, πάρε ένα πακετάκι χαρτομάντιλα, ποτέ να μη σου λείπουν, γιε μου, από την τσέπη. Δίνε του, της λέει, δεν έχω όρεξη. Κάνει να σηκωθεί η γριά, στάσου, βγάζει και της αφήνει στην παλάμη ένα ευρώ. Την ευχή μου να 'χεις, του λέει, και του προσφέρει τα χαρτομάντιλα.

Σώθηκα, μουρμουρίζει. Τη βλέπει καθώς απομακρύνεται καμπουριαστή. Η δική του γριά έχει πεθάνει εδώ και πέντε χρόνια. Σκέψου να την είχε τώρα κι αυτήν στο κεφάλι. Και δεν την έχει; Μήπως για να την κηδέψει την κακομοίρα δεν πήρε το πρώτο του δάνειο; Ούτε να πεθάνει κανείς δεν μπορεί χωρίς να επιβαρύνει τους συγγενείς του. Κι ήρθε το δεύτερο, έναν χρόνο μετά, για τη λιποαναρρόφηση της Σόνιας. Για σένα τη θέλω την επέμβαση, κλαψούριζε, δεν το βλέπω, θαρρείς, πως μ' αποφεύγεις; Του γάνωνε ανελλιπώς το κεφάλι, εφόσον καθημερινώς της το γάνωναν κι αυτής τα πρωινάδικα. Κι άρχισε, χωρίς να το καταλάβει, δάνειο το δάνειο, το χοντρό στένεμα. Από τη μια τράπεζα στην άλλη, από τον έναν τοκογλύφο δηλαδή στον άλλο. Αμέ; Τι νόμιζε; Φιλανθρωπικά ιδρύματα είναι οι τράπεζες; Έτσι, χωρίς κέρδος, θα του τα 'διναν; Καπάκι μετά,

το λουκέτο στο εργοστάσιο που δούλευε. Προς
Βουλγαρία μεριά, λέει, τ' αφεντικά. Κι άντε, σ' αυ-
τή την ηλικία να ψάχνει. Να τρέχει από δω κι από
κει για κανένα μεροκάματο. Καλά, πέρνα μεθαύριο
και βλέπουμε. Να περνάει, να παρακαλάει, δυστυ-
χώς τίποτα. Και να τον κοιτάζουν οι δυο τρεις φίλοι
του σαν να τους αρρωσταίνει και μόνο με την πα-
ρουσία του. Να μην τον αντέχουν σ' αυτό το χάλι.
Πάλι το πρόσωπο του παιδιού. Το μελαγχολικό
κοίταγμά του. Αυτό είναι. Σαν να θέλει να του πιά-
σει κουβέντα: Με λένε Αλέξη, εσένα; Πάνο, ψιθυρί-
ζει, εδώ και οχτώ μήνες στο Ταμείο Ανεργίας. Θέλει
να του πει κι άλλα, εξομολόγηση εκ βαθέων, να του
μιλήσει για τη Σόνια, πάει, την έκανε η Σόνια του,
δυο μήνες έχει να μάθει νέα της. Κατάπιε ντροπια-
σμένος το σάλιο του. Να πει τι στο παιδί; Ότι δεν
τον άντεχε να την ξυλοφορτώνει; Διότι σωστά το
λένε, η φτώχεια φέρνει γκρίνια. Απαιτούσε όμως
και λίγη συμπαράσταση από την κυρία, λίγη κατα-
νόηση. Τουναντίον, κινίνο τα λόγια της, να τον φαρ-
μακώνει, να τον ταπεινώνει, να του χτυπάει καθη-
μερινώς ότι χαράμισε τη ζωή της δίπλα του, τι κέρ-
δισε τόσα χρόνια μαζί του, τι χάρηκε; Αμ αυτός;
Κέρδισε κάτι αυτός; χάρηκε; Από τα χαράματα ως
αργά το απόγευμα στο πόδι, κάθε μέρα, μια ζωή,
κάθε μέρα. Για να μην της λείψει τίποτα της κυρίας.

Τι θέλει τώρα και τα σκαλίζει; Άλλα προέχουν.
Αντέχει να σηκωθεί και ν' αγοράσει τη ζεστή σου-
σαμένια φραντζόλα του; Έπειτα πάλι στο παγκάκι,

θα ρίχνει σπυρί σπυρί το σουσάμι στα περιστέρια, μα τι έγινε, έτσι ήταν από παλιά, ή τελευταίο φαινόμενο είναι κι αυτό, πού βρέθηκαν τόσα στην περιοχή; Από πού ήρθαν; Πού φωλιάζουν τη νύχτα; Κι ας είναι βρομιάρικα, κι ας μην μπορούν να κελαηδήσουν. Μπορούν όμως, αν θέλουν, να πετάξουν. Λίγο είναι; Μακάρι να μπορούσε κι αυτός. Θα τη μασουλίζει έπειτα μπουκιά μπουκιά τη φραντζόλα του και θα παρακολουθεί τριγυρισμένος από τα πουλιά την κίνηση στην πλατεία. Αύριο, έχει ο Θεός! Ποιος Θεός, κακομοίρη; Τίποτα δεν έχει ο Θεός, ακόμη να το καταλάβεις; Αν εσύ, κακομοίρη, δεν έχεις κάτι για τον εαυτό σου, ακόμη και ο Θεός έρχεται η ώρα και σε μουτζώνει. Πρέπει εξάπαντος να το πάρει απόφαση. Θα κοιμηθεί απόψε καλά, ώστε να 'χει αύριο τα κουράγια. Σε ποιο σταθμό του Μετρό να σταθεί; Νά και ο κόπρος που ήρθε και κάθισε δίπλα στα πόδια του. Έσκυψε και τον χάιδεψε στ' αυτιά. Άρχισε το σκυλί να του γλείφει τα δάχτυλα. Τράβηξε ενοχλημένος το χέρι.

Και δεν πάει στα Σεπόλια; Η ξαδέλφη του η Αγνή έμενε παλιά στα Σεπόλια. Κοντά δέκα χρόνια έχουν να συναντηθούν. Αν τον δει, έτσι όπως κατήντησε, θα τον αναγνωρίσει; Γωνία Ιπποκράτους και Πανεπιστημίου είχαν ιδωθεί τελευταία φορά. Έτρεχε τότε και η γερακίνα η Αγνή στις διαδηλώσεις. Γεια σου, Πάνο, του φώναξε από μακριά, χαίρομαι που σε βλέπω κι εσένα εδώ! Έκανε να την πλησιάσει, να μάθει νέα της, να ανταλλάξουν, αν είναι, τα τηλέφωνά τους, και γιατί να μη βρεθούν για έναν καφέ, να τα πούνε με την ησυχία τους; Κρίμα είναι, μωρέ Αγνή, ίδιο αίμα είμαστε, ήθελε να της πει, αλλά δεν πρόλαβε, την έχασε στο πλήθος. Έμεινε προς στιγμήν με το παράπονο για το πώς ξεμακραίνουν, πώς αποξενώνονται οι συγγενείς. Κι ας ήταν οι μάνες τους πολύ δεμένες. Και οι δυο με ναυτικούς παντρεμένες, ζωντοχήρες θα την περάσουμε τη ζωή μας, στη νηστεία, τις θυμάται που αναστέναζαν καμιά φορά με το καφεδάκι τους στην κουζίνα, κι άρχιζαν έπειτα τα κρυφομιλήματα. Είχαν πάει μια φορά οι δυο οικογένειες στο νησί τους, τη Νάξο. Διακοπές να τις πεις; Έλα όμως που δεν τα βρήκαν οι ξέμπαρκοι μπατζανάκηδες στη μοιρασιά. Κάτι χωραφάκια, το αμπελάκι, κάτι λιόδεντρα. Κι έκοψαν οι δυο αδελφές την καλημέρα. Απομακρύνθηκαν έκτοτε και τα παιδιά.

Πάνε κι έρχονται, άλλοι με βηματισμό σαν να βιάζονται να φτάσουν κάπου, άλλοι χωρίς συγκεκριμένο προορισμό, τους βλέπει αγέλαστους, είναι όμως και κάποιοι που γελάνε με το κινητό στ' αυτί, κι αν καθίσει να μιλήσει μαζί τους, ένα σωρό βάσανα κι ελόγου τους, ένα σωρό δυσκολίες. Έβαλε άλλες δυο παστίλιες στο στόμα. Δροσίστηκε. Και τι έγινε; Ευτυχώς που δεν απέκτησε με τη Σόνια παιδιά. Αλλά πού μυαλό τότε. Ως και στους γιατρούς τρέχανε. Ένα ολόκληρο δάνειο φάγανε να ψάχνονται. Εσύ φταις, όχι εσύ. Στέρφα την ανέβαζε, στείρο τον κατέβαζε. Να 'χε και την έγνοια των παιδιών τώρα! Να 'χε το βλέμμα τους να τον καταδικάζει. Τώρα τουλάχιστον δεν έχει να δώσει λογαριασμό σε κανέναν. Έχει, τρώει, δεν έχει, δεν τρώει. Αλλά κι αυτό με την κοιλιά του ανθρώπου! Μεγάλο βάσανο. Τόσος αγώνας για την κοιλιά. Κι ας έλεγε η μάνα του ότι δεν έχει παράθυρα. Έχει όμως τον αχόρταγο.

Περνάει από μπροστά του μια περιποιημένη μεσήλικη σπρώχνοντας ένα καρότσι σούπερ μάρκετ μ' ένα μικροσκοπικό σκυλί μέσα, από κείνα τα πώς τα λένε; Ράτσας, τέλος πάντων, σκυλί, ανασηκώνεται και κουνάει την ουρά του ο κόπρος, σαν να περιεργάζεται το θέαμα, κάνει να γαβγίσει, μετανιώνει. Με τη σκέψη του στην κακότροπη δικηγόρο ο Πάνος, προς στιγμήν χαλαρώνει και προσπαθεί τάχα μου να μαντέψει τον λόγο που ώθησε τη μεσήλικη να βγάλει βόλτα το σκυλί της μέσα σε καρότσι. Άρρωστο ίσως και δεν θέλει να το ταλαιπωρήσει; Ή μήπως φοβάται μην της το πατήσει κάνας άγαρμπος; Μπορεί και μόνο για να προστατέψει τα τρυφερά πατουσάκια του από τις βρομιές του δρόμου; Και γιατί δεν το παίρνει αγκαλιά; μια σταλιά ζώο, ως και στην τσέπη της θα μπορούσε να το χώσει!

Κοιτάζει πάλι το παιδί. Τι πρόλαβες κι εσύ, φιλαράκο; Όνειρα μόνο. Ώρα του ν' αρχίσει τώρα να παραμιλάει. Αν κλείσει συνάντηση με τη δικηγόρο; Άλλο κόλπο κι αυτό, να αναθέτουν οι τράπεζες σε δικηγορικά γραφεία την αποπληρωμή των δανείων. Αν την πάρει την κακότροπη και της προτείνει, αντί να τον απειλεί από τηλεφώνου μέρα παρά μέρα και να τον βρίζει, να περάσει από το γραφείο της και να μελετήσουν από κοντά την περίπτωσή του; Γιατί όχι; Λέγειν, δόξα τω Θεώ, διαθέτει, θα της εκθέσει εκ του σύνεγγυς την κατάσταση. Έλεος, κυρία μου. Δεν μπορεί, το πρόσωπο, λένε, είναι σπαθί, αν τον δει, αν την προκαλέσει να τον κοιτάξει στα μάτια, αν τον ακούσει, δεν μπορεί, άνθρωπος είναι κι αυτή, θα 'χει κι αυτή τις ευαισθησίες της, γυναίκα δεν είναι; θα 'χει κι αυτή το κουμπί της, κάπως θα τη συγκινήσει.

Ανοίγει το πακέτο τα χαρτομάντιλα, τραβάει ένα. Τρέμει ελαφρά το χέρι του ή του φάνηκε; Ώρα του να εμφανίσει και κάνα πάρκινσον! Μπα, ιδέα του. Νωρίς είναι ακόμη. Στους γέρους, συνήθως, δεν εμφανίζεται αυτή η πάθηση; Φυσάει τη μύτη. Ξαναφυσάει. Κουσούρι κι αυτό. Δεν προλαβαίνει να βουρκώσει κι αμέσως υγραίνονται τα ρουθούνια του. Κάνει μπαλάκι το χαρτομάντιλο και το χώνει στην τσέπη του μπουφάν. Ο κόπρος πάντα στα πόδια του, κάθε λίγο ανταλλάσσουν ματιές. Και το βλέμμα του παιδιού; Λυπημένο, ή μήπως έτσι του φαίνεται; Τι θέλει να του πει το βλέμμα του παιδιού; Να τον παρηγορήσει;

Βγαίνει από δίπλα ο περιπτεράς. Κάτι μουρμούριζε νευριασμένος, τον πλησιάζει διστακτικά, χαμογελάει, θέλουν λάδωμα οι μεντεσέδες, εξηγεί, δείχνοντας το πορτάκι του περιπτέρου. Είσαι μισό μισό; του προτείνει, καθώς ξετυλίγει το σπιτίσιο σάντουιτς και το κόβει στα δυο. Πρόσεξε ότι το κομμάτι που του προσφέρει είναι μια ιδέα μεγαλύτερο απ' αυτό που κρατάει ο ίδιος για τον εαυτό του. Τον ευχαριστεί μ' ένα χαμόγελο. Κάθεται πλάι του ο περιπτεράς, δαγκώνει με όρεξη το δικό του κομμάτι, ρίχνει κι αυτός μια ματιά στη φωτογραφία του παιδιού, καταπίνει βιαστικά. Δεν μπορώ να το χωνέψω... Έχεις μετρήσει πόσα τραγούδια έχουν γραφτεί για το παιδί; Το 'χεις ακούσει εκείνο το συγκινητικό που λέει να το προσέχεις το παιδί, πώς ακριβώς πάει; γιατί αν γλιτώσει το παιδί... Και το άλλο, σκοτώσαν οι εχθροί μας το γελαστό παιδί; Οι εχθροί μας ή οι δικοί μας; σχολίασε ο Πάνος, αφού πρώτα κατάπιε με δυσκολία την μπουκιά, ενοχλημένος στη στιγμή με την παρατήρησή του. Ήταν ανάγκη να εκτεθεί στον άγνωστο; Αλλά δεν πρόλαβε να μετανιώσει. Τι μου θύμισες, επικρότησε αμέσως ο περιπτεράς, φανερά συγκινημένος, στα νιάτα μας, θα το θυμάσαι, το τραγουδούσαμε ανάλογα με την περίσταση κάθε φορά, σκοτώσαν οι φασίστες... σκοτώσαν οι μπασκίνες... Και τι δεν έχει περάσει αυτός ο τόπος... Το κανονικό, πάντως, αν δεν με απατάει η μνήμη μου, είναι σκοτώσαν οι Εγγλέζοι. Ο Πάνος ένευσε καταφατικά. Έμεινε για λίγο σκεπτικός ο περιπτεράς, κοιτάζοντας στο πρωτοσέλιδο το παιδί. Όταν ήμουν μικρός, άκουγα τον πατέρα μου που μιλούσε συχνά για κείνα τα παλιά, τα σημαδιακά Δεκεμβριανά...

Ο Πάνος είχε δαγκώσει άλλη μια μπουκιά, από

την αφαγιά, τελευταία, λες κι είχε φράξει ο οισοφάγος του, κι όσο να τη μασήσει καλά, τον παίδευαν και τα δόντια του, προσπαθούσε να θυμηθεί πότε ήταν, πριν από πόσα χρόνια, που ξεχνούσε τα δικά του βάσανα με το να σκέφτεται παρηγορημένος τα βάσανα των άλλων. Έπειτα τι έγινε και μίκρυνε τόσο ο κόσμος του; Και στένεψε η καρδιά του; Να το θυμάσαι, κατέληξε με το γνωστό του πια πολύξερο ύφος ο περιπτεράς, κι ας κατακάτσει σε λίγες μέρες ο κουρνιαχτός, ετούτος ο Δεκέμβρης δεν είναι όπως οι άλλοι με τα μπάχαλα από χρονιά σε χρονιά, θα μας αφήσει αυτός, σαν και τον παλιό, τα σημάδια του. Γύρισε ο Πάνος και τον κοίταξε με συμπάθεια. Είδες, λοιπόν, πόσο έξω μπορεί να πέσει κανείς στις πρώτες του εκτιμήσεις; Πριν από ώρα τον είχε περάσει για κάνα βαμμένο νεοδημοκράτη, ενοχλημένο με τους πασόκους που δείχνουν την κάλπη στον Κώστα. Αλλά και πάλι δεν ξέρεις. Αν είναι τίποτα βαλτός; Έκανε να του πετάξει ένα, ας πούμε, προχωρημένο σε βλέπω, και να τονίσει, μάλιστα, τη λέξη, για να φανεί η ειρωνεία, μα δεν του βγήκε. Με ντομάτα και γραβιέρα το σάντουιτς. Κι ένιωθε ως βαθιά μέσα του την ευχαρίστηση.

Κατάπιε σχεδόν αμάσητη την μπουκιά του ο περιπτεράς κι έτρεξε να εξυπηρετήσει τον πελάτη που είχε μόλις σταθεί στο γκισέ του περιπτέρου. Φάνηκε στην απέναντι μεριά της πλατείας η μεσήλικη με το καρότσι του σούπερ μάρκετ και το σκυλάκι βολεμένο ανάμεσα σε δυο πλαστικές σακού-

21

λες ψώνια. Μα τόσο έξω, σκέφτηκε ντροπιασμένος ο Πάνος, να έχει πέσει για άλλη μια φορά; Τόσο πολύ πια να μην μπορεί να υπολογίσει το αυτονόητο; Επέστρεψε ο περιπτεράς κρατώντας ένα εμφιαλωμένο νερό. Κάθισε στο παγκάκι, ακούμπησε διακριτικά το μπουκάλι ανάμεσά τους. Μεγάλα ζόρια περνάω κι εγώ, είπε, μεγάλα ζόρια περνάμε όλοι, Ντίνο με λένε, εσένα; Ο Πάνος ξερόβηξε να καθαρίσει κάπως τη φωνή του. Συστήθηκε. Έβγαλε έπειτα τσιγάρα κι αναπτήρα, άνοιξε το πακέτο, του πρόσφερε. Άναψαν, φύσηξαν τον καπνό. Διασταυρώθηκαν οι ματιές τους, κι αμέσως, σχεδόν ταυτόχρονα, προσηλώθηκαν στη φωτογραφία του παιδιού. Δες το στόμα του, δεν είναι σαν να θέλει να μιλήσει; ψιθύρισε ο Πάνος. Ώρα προσπαθώ να καταλάβω τι θέλει να μου πει...

Το σκυλί, ξαπλωμένο με μισόκλειστα μάτια ανάμεσα στα πόδια τους, ησύχαζε.

Να 'τανε, ακούστηκε έπειτα από λίγο να λέει με σπασμένη φωνή ο Πάνος, αχ, να 'τανε να χωθώ και να μείνω για πάντα στα πανηγύρια του 2004. Σ' εκείνον τον Ιούλιο. Με την κεφαλιά-οβίδα του Χαριστέα. Και με τη γαλανόλευκη ζωγραφισμένη στο πρόσωπο. Θυμάσαι που το πήραμε τότε και τρελάναμε όλη την υφήλιο;

(2009)

22

Χαμηλή πτήση

ΚΟΙΤΑΞΕ ΤΟ ΡΟΛΟΪ ΤΟΥ. Σκέφτηκε ότι είχε αρκετό χρόνο μπροστά του κι αμέσως μετά αναρωτήθηκε τι μπορεί να σημαίνει *έχω χρόνο*. Πριν από πόσες δεκαετίες οι Ευρωπαίοι διεκδικούσαν τον *ελεύθερο χρόνο* τους; Σήμερα; Τι θα μπορούσαν να διεκδικήσουν σήμερα οι Ευρωπαίοι; Σήκωσε το βλέμμα και αφοσιώθηκε για λίγο στα καχεκτικά πλατάνια. Έπειτα διέσχισε τον πεζόδρομο και χώθηκε στη Στοά. Ώρα του να πιει κι αυτός έναν καπουτσίνο. Προς στιγμήν του φάνηκε ότι δεν υπήρχε άδειο τραπεζάκι, αλλά το βρήκε. Με την πλάτη στον τοίχο. Τους είδε όλους μεμιάς. Βουτυρωμένους, ανέμελους. Αλλά μπορεί και όχι. Τα μάτια, λένε, γελούν. Μπορεί μέσα τους να αγωνιούν και αυτοί. Μεσημεράκι, γύρω στις δώδεκα. Τι μπορεί να ζητάει κανείς γύρω στις δώδεκα σε τούτη την καφετέρια; Κάποιοι με το εσπρεσάκι τους, με τον φραπέ, κάποιοι με το κλαμπ σάντουιτς, με το τοστ, με τον χυμό. Αλλά οι πιο πολλοί με τον καπουτσίνο.

Γυναίκες στη μέση ηλικία. Σαραντάρες; Μπορεί και στα πενήντα φεύγα. Μόνες, με το βλέμμα απλανές. Άλλες με παρέα. Με τη φίλη τους; Την παλιά συμμαθήτρια; Τη συνάδελφο στη δουλειά; Ποια δουλειά; Ανάμεσα στα πόδια τους, ή στο διπλανό ελεύθερο κάθισμα, οι σακούλες του γειτονικού πολυκαταστήματος. Άντρες με χαρτοφύλακες αλλά και χωρίς χαρτοφύλακες, με ύφος: Μη με βλέπεις εμένα που κάθομαι εδώ, έχω σχέδια εγώ κι έχω υπολογίσει με ακρίβεια τις επόμενες κινήσεις μου, μη με βλέπεις που ξαποσταίνω. Νά κι ένας, μπλε σακάκι, μπεζ παντελόνι, με το λάπτοπ ανοιχτό. Προσηλωμένος στην οθόνη. Τι κοιτάζει με τόση αφοσίωση; Στο τραπεζάκι δεν υπήρχε σταχτοδοχείο, σηκώθηκε και πήρε από τον μπουφέ των σερβιτόρων παρακεί. Πάνω στην ώρα και ο σβέλτος νεαρός.

Από κάπου δεν πρέπει ν' αρχίσει; Ας αρχίσει, λοιπόν, από την αυτοδιοίκηση, εφόσον σίγουρα έχει ταλέντο να μιλάει για τα σκουπίδια, για την καθαριότητα. Για την ποιότητα ζωής και για την κοινωνική πρόνοια. Για συσσίτια στους άστεγους, για ξενώνες. Για τον πολίτη που πρέπει να προστατέψουμε, για τις κακοποιημένες γυναίκες που πρέπει να περιθάλψουμε. Ένα χαμόγελο για τα βασανισμένα παιδιά. Κάτι για τους ηλικιωμένους, κάτι πρέπει για όλους. Για τους ναρκομανείς, τους μετανάστες, τους πρόσφυγες. Γέμισε, λένε, το κέντρο μετανάστες. Βγάζει χαρούμενη από την πλαστικοποιημένη σακούλα η κοκκινομάλλα ένα βραδινό, όπως είπε, φόρεμα και το δείχνει στη διπλανή της. Πάμφθηνο: Εκατόν πενήντα μόνον ευρώ! Τη ρωτάει πώς της φαίνεται. Η διπλανή χαμογελάει: Τέλειο! Σκέπτεται, συνεχίζει η κοκκινομάλλα, να το συνδυάσει με μαύρο ψηλοτάκουνο και με σατέν μαντίλι φούξια στον λαιμό. Εντάξει, απαντά η διπλανή, χωρίς θέρμη, σαν να μην της πολυαρέσει ο συνδυασμός αλλά και να μη θέλει να δώσει τα φώτα της. Αγαπιούνται άραγε οι γυναίκες μεταξύ τους; Υποστηρίζονται; Απέναντι στο πανάκριβο κατάστημα νέκρα. Για να υπάρχει, όμως, κάποιοι θα ψωνίζουν κι απ' αυτό. Τι ακριβώς πουλάει; Πάνω στην ώρα, ένας πρώην υπουργός που κοντοστέκεται στη βιτρίνα. Χρόνια έχει να τον δει. Κι ούτε καλοθυμάται σε ποιο από τα δυο κόμματα εξουσίας ανήκε. Ψαρομάλλης πλέον, κομψός πάντα, ατσαλάκωτος. Πάντα, του έκανε εντύπωση το μαλλί του. Τόσο τακτοποιημένο, σαν περουκίνι. Αλλά να μην μπορεί να θυμηθεί σε ποιο κόμμα ανήκε! Και να σκεφτείς ότι υπήρξε εποχή που μεσουρανούσε στα τηλεοπτικά πάνελ. Νά και μια με το αγοράκι της. Μπορεί όμως και να μην είναι δικό της. Και τι δουλειά έχει τέτοια ώρα το παχουλό δεκάχρονο με την κομψή σαραντάρα; Δεν θα 'πρεπε να είναι στο σχολείο; Και η σαραντάρα με σακούλες. Ψώνια κι αυτή; Το παιδί δεν θέλει πορτοκαλάδα. Θέλει σοκολατίνα, το ποντικάκι του. Σοκολατίνα δεν κάνει, του λέει η γυναίκα αυστηρά. Ο μικρός δίνει μια κλοτσιά στα πόδια του τραπεζιού. Κάτσε καλά, το αγριοκοιτάζει η γυναίκα, τι συμφωνήσαμε; άκουσες που σου μιλώ; Ο μικρός υποχωρεί. Υποχωρούσε κι αυτός τόσο εύκολα; Προσπαθεί να θυμηθεί τον εαυτό του σ' αυτή την ηλικία. Νά το πάλι το σφίξιμο στο στομάχι. Η σωματική δυσφορία. Αλλά και η αγάπη. Εκείνο το δέσιμο το ανεξιχνίαστο. Άρχισε να παίζει νευρικά τα δάχτυλά του στο τραπεζάκι. Τον ενόχλησε ο ήχος στη μαρμάρινη επιφάνεια και σταμάτησε. Δεν θα μπορούσε να αγοράσει κι αυτός ένα κουστούμι; Το πρώτο του, ένα σκούρο μπλε, κρέμεται πάντα μέσα στη νάιλον σακούλα στην ντουλάπα. Δυο φορές μόνο φορεμένο, τη μια στην ορκωμοσία του, την άλλη; Δεν θυμάται ακριβώς. Μπορεί και στην κηδεία του πατέρα του. Και ήρθε η ώρα για το δεύτερο. Ανοιχτόχρωμο, όχι και πολύ επίσημο. Καλό θα ήταν να αποφύγει και τη γραβάτα. Εφόσον σε άλλους ψηφοφόρους προσβλέπει. Έπειτα από γειτονιά σε γειτονιά. Γιατί όχι; Από πόρτα σε πόρτα. Ψηφίστε με. Είμαι νέος. Βγαίνει από το πανάκριβο κατάστημα ο πρώην υπουργός, κάτι κρατάει στο χέρι, ρίχνει μια ματιά δεξιά, αριστερά, λες και επιτηρεί τον χώρο. Προχώρησε και κάθισε στο τραπεζάκι που μόλις είχε αδειάσει. Ο νεαρός σερβιτόρος τον χαιρέτησε από μακριά σαν να γνωρίζονταν. Έπειτα από λίγο φάνηκε μια ψηλή μελαχρινή με τα μαλλιά λυτά στους ώμους. Πώς θα μπορούσε να τη χαρακτηρίσει; Ούτε ωραία, ούτε γοητευτική. Θεαματική; Σηκώθηκε χαμογελαστός ο πρώην να την υποδεχτεί.

Φιλήθηκαν σταυρωτά. Κάθισε δίπλα του. Πλησίασε ο σερβιτόρος, παράγγειλαν. Ο πρώην και η θεαματική έμειναν για λίγο σιωπηλοί. Της πρόσφερε έπειτα χαμογελαστός το δώρο. Μα τι είναι; κόσμημα; Σκύβει χαδιάρικα προς το μέρος του. Αφήνει για λίγο το κεφάλι της στον ώμο του. Κάτι του λέει, κάτι της λέει, αφοσιώνονται στα δικά τους. Ούτε καν προσέχουν τον νεαρό που ακουμπάει στο τραπεζάκι τα νερά με την παραγγελία. Ξαφνικά θυμήθηκε όχι μόνο το όνομά του αλλά κι εκείνο το προεκλογικό φυλλάδιο που μοίραζε πριν από μερικά χρόνια με την καλοβαλμένη σύζυγο και τα δυο χαριτωμένα παιδάκια του. Ε και; Να μην έχει κι αυτός την *ιδιαιτέρα* του; Άσε που μπορεί να χώρισε εν τω μεταξύ. Αν καθόταν πιο κοντά τους, θα κρυφάκουγε. Κι αυτή η όρεξή του να κρυφακούσει κάπως τον παρηγόρησε. Δεν μπορεί, σκέφτηκε, να είναι στ' αλήθεια απελπισμένος κι όμως να 'χει την όρεξη να παρατηρεί γύρω του, να υποθέτει. Επομένως τι; Υποδύεται απλώς τον απελπισμένο; Και σε ποιον; Στον εαυτό του; Αλλά τι έχει να κερδίσει από αυτή την παράσταση; Και γιατί πρέπει οπωσδήποτε να έχει κάτι να κερδίσει; Σήκωσε το βλέμμα κι είδε για άλλη μια φορά τη διακόσμηση στην οροφή της Στοάς. Γιατί όχι; Άλλοι αρχίζουν από τον συνδικαλισμό, αυτός θ' αρχίσει από την αυτοδιοίκηση.

Άναψε πάλι τσιγάρο. Και βέβαια κάνει πολύ κακό το κάπνισμα στην υγεία. Τότε γιατί δεν το κόβει; Επειδή δεν μπορεί; Και τι πάει να πει δεν μπορεί; Αυτός που επενδύει τόσα στο λαϊφστάιλ της υγιεινής διατροφής. Τα τσάγια και τις σαλάτες και τους χυμούς. Γυμνασμένος, αλλ' όχι μπρατσωμένος, υγιής. Να αφήνει στο πέρασμά του την αύρα του καλού, του νοικοκυρεμένου, του καθαρού. Που νοιάζεται για τα κοινά. Και για τη χώρα. Και για τον πολίτη αυτής της χώρας. Το ερώτημα, επομένως, δεν είναι γιατί δεν μπορεί να κόψει το κάπνισμα, αλλά γιατί, αν και αποφασισμένος αντικαπνιστής, το άρχισε πριν από έναν περίπου χρόνο. Δεν είναι όμως αυτό του παρόντος, όπως θα έλεγε και η μάνα του. Αυτό που επείγει. Και τι επείγει; Ακολούθησε με το βλέμμα τον αεικίνητο σερβιτόρο. Τι να σκεφτεί γι' αυτόν; Ότι δεν θα περάσει όλη του τη ζωή σερβίροντας; Ότι σπουδάζει σε κάποια σχολή και απασχολείται εδώ προσωρινά; Ή ότι έχει τελειώσει τις σπουδές του κι όσο να βρει μια κανονική απασχόληση είναι μια κάποια λύση το σερβίρισμα; Δείχνει, πάντως, πολύ μικρός. Μπορεί και δεκαοχτάρης. Στα δεκαοχτώ του αυτός τι έκανε; Πανελλήνιες και τα λοιπά. Και τώρα τι; Και αυτό το βουητό μέσα του; Ο πρώην κάτι έκανε στα μαλλιά της θεαματικής. Τη χάιδεψε; Η θεαματική τον φίλησε στο μάγουλο. Ο άλλος με το λάπτοπ αφοσιωμένος στην επιφάνεια εργασίας. Γιατί όχι κι αυτός; Γιατί να μην κουβαλάει παντού το δικό του λάπτοπ; Αν ντυθεί ανάλογα, άνετα θα μπορούσε να 'χει κι αυτός τον αέρα του χρηματιστή που εποπτεύει ανά πάσα στιγμή το ψηφιακό χρήμα στον πλανήτη. Και τότε φάνηκε. Αν και θα μπορούσε να περπατήσει ανάμεσα στα τραπεζάκια, όρμησε πετώντας. Ήξερε ότι θα καταλήξει στην έξοδο της Στοάς ή μήπως πετούσε στα τυφλά; Ξεστρατισμένο ή απλώς σε μια συνηθισμένη χαμηλή πτήση; Ωραίο θέαμα, σκέφτηκε. Ένα μαύρο περιστέρι σπαθάτο με φόρα προς την οδό Αμερικής.

Βάδην πίσω του γρήγορο. Το περιστέρι προσγειώθηκε στο περβάζι της Τράπεζας Πειραιώς. Τρεις άντρες, εργαζόμενοι στην τράπεζα ίσως, έστεκαν παρακεί με το πλαστικό ποτήρι του φραπέ στο ένα χέρι και με το αναμμένο τσιγάρο στο άλλο. Περπάτησε ανάμεσά τους για λίγο καμαρωτό, έπειτα όρμησε προς την Πανεπιστημίου. Έκανε να τρέξει ξοπίσω του. Αλλά όχι. Μετακινήθηκε λίγα μέτρα προς την αντίθετη κατεύθυνση κι έμεινε γωνία Αμερικής και Σταδίου, περιμένοντας αποφασισμένος να ανάψει πράσινο. Δεξιά και αμέσως αριστερά στο επόμενο φανάρι. Παλιά πώς τον είχε πει η κολλητή του η Δώρα; Φυσιογνωμιστή. Γίνε συγγραφέας, του είχε πει. Να παρακολουθείς τον κόσμο και μετά να γράφεις ιστορίες. Να φαντάζεσαι ποιος θα μπορούσε να είναι ο ένας, ποιος ο άλλος, τι κάνουν στη ζωή, από πού έρχονται, τι ονειρεύονται, πώς τα βολεύουν, να ταΐζεις έπειτα με όλα αυτά το λάπτοπ και να περνάς ωραία την ώρα σου. Αλλά πώς; Άλλο να φαντάζεσαι κι άλλο να γράφεις όσα φαντάζεσαι.

29

Φάτσα ο Χαρίλαος Τρικούπης: *Η Ελλάς θέλει να ζήση και θα ζήση.* Κι εκείνος ο καθισμένος φτερωτός γυμνός που στεφανώνει με το μπράτσο του στη βάση του αγάλματος τη φράση τι συμβολίζει; Δεν θυμάται να έχει μπει ποτέ στην Παλιά Βουλή, σίγουρα κάποιο μουσείο στεγάζει. Έχει, λοιπόν, και η Αθήνα τα μουσεία της. Τις δυο φορές στη ζωή του που βρέθηκε στο εξωτερικό έτρεχε περιχαρής από μουσείο σε μουσείο. Κι εδώ, στον τόπο του, μόνο στο Εθνικό Αρχαιολογικό μπήκε μια φορά, πριν από πολλά χρόνια. Ίσα ίσα στην είσοδο με τις χρυσές προσωπίδες. Έχει μπει και στο Μουσείο Μπενάκη της Πειραιώς, αλλά δεν θυμάται με ποια αφορμή. Πώς ακριβώς τα λένε όλ' αυτά τα περιποιημένα τριγύρω; Παρτέρια; πρασιές; βραγιές; Ή μήπως πρόκειται για συνώνυμα; Σε τι ακριβώς μας εξυπηρετούν τα συνώνυμα; Με πόσες λέξεις μόνο θα μπορούσε να ζήσει ο άνθρωπος; Πόσες χιλιάδες του αρκούν για μια καλή ζωή; Κι αυτά τα πολύχρωμα χαμολούλουδα πώς τα λένε; Τόσα άνθη και τόσα φυτά και τόσα δέντρα που δεν ξέρει πώς τα λένε. Τόσοι άνθρωποι που περνούν από δίπλα του και δεν ξέρει πώς τους λένε. Από πού ξεκίνησαν, πού πάνε. Πόσες πιθανότητες υπάρχουν να ξαναπεράσουν από δίπλα του; Και αυτός για ποιο λόγο, αντί να παραμείνει πριν από λίγο στο δεξί πεζοδρόμιο της Σταδίου, αποφάσισε να διασχίσει τη λεωφόρο;

Τον είδε ανακούρκουδα στη γωνία. Με το πλαστικό κύπελλο στο χέρι. Αλλά το γαλανό μάτι του δεν είναι θολό. Το μαύρο του μπουφάν καθαρό. Τριών τεσσάρων ημερών γένι στα μάγουλα. Πώς θα μπορούσε να τον χαρακτηρίσει; Αρχάριο; Σίγουρα άνεργος. Άστεγος; Μπορεί και όχι. Εθισμένος σε ουσίες; Μπορεί και όχι. Σίγουρα όμως απελπισμένος. Έκανε να του αφήσει κάνα κέρμα, ντράπηκε. Στάθηκε στη βιτρίνα με τα πολυτελή αντικείμενα. Κάποιοι θα ψωνίζουν κι από δω! Θα μπορούσε να ψάξει στο Ίντερνετ να μάθει όλα τα σχετικά με τη φίρμα «Kosta Boda». Έμεινε για λίγο και κρυφοκοίταζε προς τη γωνία. Λες και δίσταζε ο γαλανομάτης ζητιάνος να βολευτεί καθισμένος σε κάνα χαρτόνι στο μάρμαρο δίπλα του, λες και η θέση δεν του ανήκε. Κάπου το είχε ακούσει. Δεν σου επιτρέπεται, λέει, να καθίσεις όπου θέλεις να ζητιανέψεις. Υπάρχουν, μάλιστα, και περιπτώσεις που αναγκάζεσαι να πληρώνεις κανονικά ενοίκιο στον υποτιθέμενο κάτοχο, ιδιαίτερα αν πρόκειται για καμιά, όπως αυτή εδώ, γωνία-φιλέτο. Αν γυρίσει πίσω να του μιλήσει; Να του προτείνει να πάνε παρακεί στην καφετέρια να τον κεράσει κάνα σάντουιτς; Να τον ρωτήσει πώς και γιατί βρέθηκε με το κύπελλο της επαιτείας στο χέρι; Και απέναντι ακριβώς στην κολόνα το επιτύμβιο ανάγλυφο για έναν φοιτητή που τον σκότωσαν πριν από πολλά χρόνια σ' αυτό ακριβώς το σημείο.

Πριν από τρεις μόλις μήνες δεν σκότωσαν δυο αστυνομικοί κι εκείνον τον μαθητή στα Εξάρχεια; Του έκανε εντύπωση που δεν θυμόταν ακριβώς την ημερομηνία. Είχε κλείσει εισιτήρια από καιρό η Μιράντα, για εκείνο το βράδυ, να δουν *Το ημέρωμα της στρίγκλας* με την αγαπημένη της Καραμπέτη, όταν συναντήθηκαν όμως προτίμησαν να μην κατεβούν στο κέντρο, δεν ξέρεις ποτέ τι γίνεται, καλύτερα να φυλάγονται. Κάθισαν στην καφετέρια της γειτονιάς τους και τα λέγαν χλιαρά, ακόμη και κάνα μπάχαλο να 'ταν το θύμα, κάνας κουκουλοφόρος, κανένα δικαίωμα δεν έχει ο κάθε κομπλεξικός μπάτσος να πυροβολεί έτσι, επειδή απλώς του τη σβούριξε. Αλλά ποιος ξέρει, βέβαια, και τι ακριβώς έχει γίνει. Έπειτα ξεχάστηκαν με τα δικά τους. Ας μην τον πίεζαν στο σπίτι. Κάτι έπρεπε να κάνει. Ακόμη και αμισθί, του είχε πει μια φορά η μάνα του, αργία μήτηρ πάσης κακίας, πρέπει να βρεις μιαν απασχόληση, όσο να φτιάξουν κάπως τα πράγματα, ακόμη και αμισθί. Σύμφωνη και η Μιράντα, όχι ως προς το αμισθί, εννοείται, αλλά ως προς την απασχόληση. Πώς αλλιώς θα προχωρούσαν σε συγκατοίκηση; Με τον δικό της μόνο μισθό, αδύνατον. Αλλά να μην μπορεί να θυμηθεί ακριβώς την ημερομηνία της δολοφονίας του μαθητή; Σαββατόβραδο ήταν, εντάξει, αρχές Δεκεμβρίου. Τις ημέρες που ακολούθησαν όχι μόνο είχε ταχθεί αναφανδόν εναντίον της αστυνομίας αλλά και είχε οργιστεί. Είχε μάλιστα κατεβεί μαχητικότατος και σε μια από κείνες τις μεγάλες διαδηλώσεις. Μετά τι έγινε; Φοβήθηκε να ξανακατεβεί ή απλώς βαρέθηκε; Όπως και να 'χει, και καλά έκανε, κατόπιν ωρίμου σκέψεως, κάτι του είχε πει και η σοφή γιαγιά, προτίμησε να κάτσει στ' αυγά του. Τι δουλειά είχε αυτός με τις φωτιές, τις καταστροφές, τις λεηλασίες; Ανοίγοντας βηματισμό, προσπέρασε τους δυο κινηματογράφους. Σήμερα, μωρό μου, δεν μπορώ, του παραπονέθηκε προχθές η Μιράντα, μ' έχει πεθάνει η κοιλιά μου. Εντάξει, της είπε, πάρε κάνα παυσίπονο, θα μείνω κι εγώ μέσα. Έπειτα; Βγήκε για τσιγάρα ως το περίπτερο της κεντρικής πλατείας και την είδε στην καφετέρια αγκαλιά μ' έναν τύπο. Έμεινε και τους κοίταζε αποσβολωμένος. Ο τύπος είχε χώσει κάτω από την μπλούζα της το χέρι του. Να έκανε τι; Σίγουρα, αν εμφανιζόταν μπροστά τους, θα την τάραζε. Αυτός όμως δεν άντεξε να εμφανιστεί. Κι έφτασε ως το Καλλιμάρμαρο με τα πόδια, μονολογώντας. Όταν επέστρεψε ξημερώματα στο σπίτι, είχε πάρει την απόφασή του.

Η φωνή του τραγουδιστή με τη φωνή του Ξυλούρη δεν μοιάζει; Έχει τραγουδήσει όμως αγωνιστικό Θεοδωράκη ο Ξυλούρης; Άρχισε ξαφνικά, αλλά χωρίς να αισθάνεται κανέναν πόνο, να περπατάει λυγίζοντας το αριστερό του γόνατο. Σίγουρα το τραγούδι είναι του Ξαρχάκου. Ή μήπως του Μαρκόπουλου; Και σίγουρα η μουσική έρχεται από τους συγκεντρωμένους με τα πανό στην Πλατεία Κλαυθμώνος. Περνάει βιαστικά ανάμεσά τους, δεν προλαβαίνει να δει τι γράφουν στα πανό τους. Ποιο είναι το πρόβλημά τους, μήπως η απόλυση; Αν σταματούσε να ρωτήσει; Αν και του προκαλούν κάτι σαν συμπάθεια, όχι, δεν θα 'θελε να πιάσει κουβέντα μαζί τους. Άσε που μπορεί και να τον αντιμετώπιζαν με δυσπιστία. Το 'χε διαβάσει σ' εκείνο το βιβλίο ή μήπως ο ίδιος το σκέφτηκε ότι σε δυο τρεις μήνες το πολύ καταφτάνει κι εδώ, για να σταθμεύσει επ' αόριστον, η κρίση; Ότι δεν θ' αργήσει και πολύ που τα αιτήματα των εργαζομένων θα πήξουν σε θυμό ιερό, οργή αρχαία; Αλλά με το αριστερό του πόδι τι συμβαίνει; Όλο και πιο πολύ λυγίζει το γόνατο. Πέρασε ξυστά δίπλα του μια γυναίκα που τον κοίταξε επίμονα, σαν να τον λυπήθηκε. Πιο κει, τοποθετημένος σε μαξιλαράκι ένας με κομμένα πόδια και με το βλέμμα προσηλωμένο κατανυκτικά στο πλαστικό πιατάκι του. Ταράχτηκε. Μα είναι δυνατόν; Σύρριζα σχεδόν κομμένα. Προς στιγμήν απόρησε πώς μπορεί και ισορροπεί ο δυστυχής στο μαξιλαράκι. Θα 'χε ποτέ την υπομονή να περιμένει σε κάποια απόσταση από τον ακρωτηριασμένο, όσο να δει ποιοι και πότε θα 'ρθουν να τον μαζέψουν; Και τι γίνεται; Τα χαρακτηριστικά των προσώπων αρχίζουν, ή όχι, λίγο λίγο ν' αλλάζουν; Το πήγαιν' έλα, πάντως, στο πεζοδρόμιο είναι σίγουρα πιο πυκνό. Αν δούλευαν όλοι αυτοί, δεν θα 'πρεπε να βρίσκονται τούτη την ώρα στη δουλειά τους; Πού πάνε; Αργόσχολοι όλοι αυτοί, αεριτζήδες, με δουλειές του ποδαριού, όπως συνήθιζε να λέει σχεδόν απαξιωτικά ο πατέρας του, ή απλώς άνεργοι; Σταματάει και χαζεύει στη βιτρίνα του γωνιακού χρυσοχοείου. Ρίχνει μια ματιά μέσα, νέκρα κι εδώ. Κεσά-

τια και στα μαγαζιά με τα είδη ρουχισμού. Μεσή-
λικες έμποροι στέκουν στην είσοδο, κοιτάζοντας
κάθε λίγο το ρολόι τους, σαν να περιμένουν κάποιον
που τους έστησε στο ραντεβού. Νά και μια ξανθιά
θλιμμένη με έντονο μακιγιάζ. Γιατί βάφονται τόσο
έντονα στα εμπορικά ανδρικού ρουχισμού οι πωλή-
τριες; Τους το επιβάλλουν τα αφεντικά για να προ-
σελκύουν πελάτες ή μήπως έτσι συνηθίζεται;
Τον πήρε η μπόχα. Αυτή ξεδοντιάρα, ισχνή, με
ψαρά, ριχτά μαλλιά, σκουρόχρωμη ρόμπα, λιωμένη
πάνω της. Και στα ξεκάλτσωτα πόδια της παλιο-
πάπουτσα με πατημένες φτέρνες. Ο άντρας ξερα-
κιανός, μαυριδερός, αναμαλλιάρης. Λογοφέρνουν
σέρνοντας μια μαύρη σακούλα σκουπιδιών. Πόσο
καιρό έχουν να πλυθούν; Επιτρέπεται να μην υπάρ-
χει ένα τουλάχιστον δημόσιο λουτρό για τους άστε-
γους; Και όσο πάει, λένε, οι άστεγοι στην Αθήνα θα
πληθαίνουν. Τι θα απογίνουν όλοι αυτοί; Στην εί-
σοδο της Στοάς Ορφανίδου, κατάχαμα, μια νεαρή
τσιγγάνα μ' ένα αγοράκι αγκαλιά. Το πλαστικό κύ-
πελλο δίπλα της. Χώνεται στη Στοά. Δεξιά αριστε-
ρά μικρομάγαζα. Το σαράφικο θεοσκότεινο. Και
γιατί τρομάζει; Χωρίς να το θέλει σέρνει το δεξί
του πόδι περισσότερο. Επιτέλους φτάνει στην έξο-
δο. Γιατί όχι κι εμείς; Ξυπνούσε και κοιμόταν ο
μυαλωμένος πατέρας του με την ίδια λαχτάρα. Που
ο τάδε αγόρασε σπιταρόνα, που ο δείνα απέκτησε
τζιπάρα. Το είπε και ο υπουργός. Ο πλούτος, είπε,
άρχισε να κυλάει προς τα κάτω. Όσοι πιστοί προ-

σέλθετε. Πόσα εκατομμύρια δραχμές έχασε τότε ο πατέρας του στο Χρηματιστήριο; Νά το πάλι το σφίξιμο στο στομάχι. Η σωματική δυσφορία. Αλλά και η αγάπη. Εκείνο το δέσιμο το ανεξιχνίαστο. Μπορείς να ξεφύγεις; Δεν μπορείς. Διστάζει να μπει πάλι στη Στοά. Δεν αντέχει να νιώσει πάνω του, όπως και πριν από λίγο, το βλέμμα εκείνου του τύπου από το καπελάδικο της Μαίρης. Θα κάνει τη γύρα για να ξαναβρεθεί στη Σταδίου. Το ζευγάρι οι ρακοσυλλέκτες έχουν στήσει κανονικό καβγά. Βγαίνει ένας από το χρυσοχοείο της γωνίας και τους σιχτιρίζει. Μέλι γάλα τώρα το ζεύγος, σέρνουν τη μαύρη σακούλα τους και απομακρύνονται. Έμεινε για λίγο, χαζεύοντας δήθεν τη βιτρίνα του πολυκαταστήματος. Δεκαπέντε, δεκάξι ετών η τσιγγάνα; Το αγοράκι είχε ανασηκωθεί δίπλα της και καθόταν κατάχαμα. Το μάλωνε; Έπειτα, κάτι σαν χάδι ή σαν καρπαζιά στο κεφάλι. Το αγοράκι άρχισε να κλαψουρίζει. Μα δεν κρυώνουν; Αρρωσταίνουν ποτέ; Ο κύριος με το πορτοκαλί μπουφάν σκόνταψε σχεδόν στα απλωμένα πόδια τους. Συνέχισε όμως χωρίς να τους δώσει καμιά σημασία. Αυτός το διάλεξε το πορτοκαλί μπουφάν ή του το διάλεξε η γυναίκα του; Απέσπασε την προσοχή του μια μεσόκοπη με καφετί αδιάβροχο που βγήκε από το πολυκατάστημα, κρατώντας μια μικρή σακούλα στο χέρι. Κοντοστάθηκε, επόπτευσε για λίγο το πεζοδρόμιο, φόρεσε γυαλιά ηλίου και κατευθύνθηκε βιαστική προς Σύνταγμα. Βαρύς ο ουρανός, σίγουρα το πάει για βροχή. Και τι τον νοιάζει αν η γυναίκα, παρ' όλη τη συννεφιά, φόρεσε γυαλιά ηλίου; Δικαίωμά της. Δικαίωμά μου, είχε υψώσει τη φωνή και η Μιράντα πριν από καιρό, πότε ήταν; πριν ή μετά τα γενέθλιά του; Κι άρχισε, όπως το σκέφτεται τώρα, η αντίστροφη μέτρηση. Για σε παρακαλώ, την άδειά σου δηλαδή έπρεπε να πάρω; Και όλο αυτό το ξέσπασμα, επειδή, μιας και δεν του πολυάρεσε η αλλαγή του χρώματος στα μαλλιά της, είχε διαπράξει το μέγα ατόπημα να της πει ευθέως τη γνώμη του. Τι άλλο του είχε προσάψει εκείνο το απόγευμα; Ότι δεν είχε καταφέρει, λέει, από τα χρόνια του πανεπιστημίου να εξελιχθεί ως χαρακτήρας. Κολλημένος εδώ και μια δεκαετία στα ίδια. Αλλά δεν είναι αυτό η ζωή. Και τι είναι η ζωή; Εμπρός, ρίξ' το, την είχε προκαλέσει, δεν μπορεί, από κάπου το αντέγραψες. Ποιο; τον ρώτησε οργισμένη. Αυτό με τον χαρακτήρα μου, που δεν εξελίχθηκε, αποκλείεται να το σκέφτηκες μόνη σου. Άσ' το καλύτερα, του πέταξε σαν φτυσιά, κι άρχισε βλοσυρή να ρουφάει τον χυμό της. Την κοίταζε λυπημένος. Έπειτα από χρόνια τι θα έχει απομείνει από τούτη τη λογομαχία; Ή μήπως θα την έχει πάρει κι αυτή το θολό ποτάμι;

Γωνία Γεωργίου Σταύρου και Σταδίου άλλο ένα χρυσοχοείο· νέκρα κι εδώ. Και λίγο παρακάτω, σ' αυτό το καγκελόφραχτο κομμάτι γης, υψωνόταν κάποτε ο «Κατράντζος Σπορ». Κάτι θυμάται αμυδρά. Αμυδρά θυμάται και το «Μινιόν» στην Πατησίων. Είχε σειστεί τότε η Αθήνα από τις δυο εκρήξεις. Έπιασαν ποτέ τους δράστες; Σήκωσε το κεφάλι προς το γκράφιτι στον γυμνό τοίχο της πλαϊνής πολυκατοικίας. Και γιατί να μην καλλιεργηθεί επισήμως και συστηματικά η ζωγραφική του δρόμου; Άλλη μια πρόταση που θα μπορούσε να επεξεργαστεί. Να γεμίσουν οι γυμνοί, λεροί τοίχοι της πόλης με ζωγραφιές. Διέσχισε σχεδόν τρέχοντας την Αιόλου. Δεν κουτσαίνει πια; Νά και ο δραστήριος Ισπανός. Και ποιος σου είπε ότι το φτηνό δεν μπορεί να είναι και κομψό; Αλλά θα είναι και μιας μόνο χρήσεως. Αυτό ακριβώς δεν είναι το μήνυμα; Θα 'πρεπε, πάντως, να το μελετήσει. Γιατί θέλει ο άνθρωπος κάθε χρόνο το καινούριο; Είναι πραγματική η ανάγκη του ή μήπως είναι ανάγκη που άλλοι του επιβάλλουν; Ποιοι άλλοι; Και γιατί κάθε τόσο αλλάζει η μόδα; Γιατί από χρονιά σε χρονιά αλλάζουν τα χρώματα στις βιτρίνες; Πάλι η ενόχληση στο αριστερό του γόνατο. Επομένως κουτσαίνει επειδή πονάει. Ή μήπως το αντίθετο; Επειδή πρέπει να κουτσαίνει, πρέπει και να πονάει; Και γιατί πρέπει να κουτσαίνει; Άλλες οι μυρωδιές γύρω του, άλλες οι φωνές. Τι λένε; Οι επαίτες βλοσυροί, πεινάω, με το χέρι επιτακτικά σχεδόν απλωμένο. Με ασταθές βήμα, βραχνή φωνή. Παρακεί, πετσί και κόκαλο μια κοπέλα έτοιμη να σωριαστεί.

Στοπ στη στροφή. Τώρα ξέρει για ποιο λόγο στο φανάρι γωνία Αμερικής και Σταδίου αποφάσισε να περάσει απέναντι. Διότι από την Πλατεία Κλαυθμώνος και μετά, στο αριστερό πεζοδρόμιο της Σταδίου, οι άνθρωποι αρχίζουν να κονταίνουν και να σκουραίνουν. Μπαίνει, μπήκε στην οδό Αθηνάς. Από ποιο πεζοδρόμιο; Δοκίμασε να διασχίσει το οδόστρωμα, τον ενόχλησε που δεν είχε φανάρι. Θα συνεχίσει επομένως, κουτσαίνοντας, όλο αριστερά. Κι εκείνο το ανοιχτόχρωμο κουστούμι που θα ήθελε; Εδώ και κει αφημένο το βιογραφικό του. Το 'νιωσε το δεξί του ματόφυλλο που τρεμόπαιξε. Σε κάλαθο αχρήστων το βιογραφικό του. Οι δυο σελίδες το βιογραφικό του στην ανακύκλωση ή σε καμιά χωματερή; Στην ανακύκλωση ή σε καμιά χωματερή και τα όνειρά του; Ένας μισθός τού αρκούσε και να μη ζει με την αγωνία ότι αύριο μεθαύριο θα τον πετάξουν στον δρόμο. Δεν το είχε πει μόνο ο υπουργός, το είχε πει και ο σοβαρός πρωθυπουργός. Όσοι πιστοί προσέλθετε. Πριν από δέκα χρόνια; Για την Ελλάδα, για την ανάπτυξη. Και οι τραπεζίτες πρόθυμοι. Σε δανείζουμε για να ξοδέψεις, σε δανείζουμε για να τζογάρεις, σε δανείζουμε για να ταξιδέψεις. Πόσο κράτησε; Ο πατέρας του από εγκεφαλικό μια κι έξω. Όρμησαν έπειτα οι τράπεζες. Στο σφυρί όλη τους η περιουσία. Με τη μονοκατοικία, ευτυχώς, της γιαγιάς και με τη σύνταξη της γιαγιάς και με τη μάνα του που αγωνιά για το εφάπαξ της στο υπουργείο. Και με το βιογραφικό του σκουπίδι από εταιρεία σε επιχείρηση. Και ας του 'λεγαν ότι το management έχει πολύ ψωμί.

Μουσικές, αλλά γλεντζέδικες τώρα, στη διαπα-

39

σών. Και τα μαγαζιά πάλι. Και οι πάγκοι με τις πραμάτειες. Γιατί να μην προσκολληθεί σε κάποια παράταξη; Τόσα μεταπτυχιακά, τρεις ξένες γλώσσες, ευπαρουσίαστος. Γιατί όχι εκπρόσωπος Τύπου; Και ευφράδεια έχει και απόψεις. Να βγαίνει στις πρωινές εκπομπές σε τηλεόραση και ραδιόφωνο και να μιλάει για τη διεθνή ύφεση, να αναλύει, όσο πιο απλά και γλαφυρά, την οικονομική κατάσταση. Ψύχραιμος όμως. Ρεαλιστής. Σοβαρός. Μακριά απ' αυτόν οι κορόνες, οι προφητείες, οι μελοδραματισμοί, οι ανέξοδες ρητορείες. Ένιωσε το κουτάκι με το δαχτυλίδι στη μέσα τσέπη του μπουφάν. Μάρτιος μήνας, βαρύς ο ουρανός, σίγουρα το πάει για βροχή. Αυτός όμως στάζει στον ιδρώτα. Δεν έπρεπε σήμερα να φορέσει μέσα από το αντιανεμικό μπουφάν το ισοθερμικό φανελάκι. Πού καταλήγει η οδός Αθηνάς; Νά μια καθημερινή αμισθί απασχόληση. Αύριο θα ψάξει πού καταλήγει η Πειραιώς, μεθαύριο η Αγίου Κωνσταντίνου. Κι έπειτα η 3ης Σεπτεμβρίου. Κι έπειτα η Πατησίων. Από την Ομόνοια, κουτσαίνοντας. Πώς αλλιώς θα μπορούσε να γίνει ένας αποτελεσματικός δημοτικός σύμβουλος; Μόνο με καθημερινή, πολύωρη, εξαντλητική εξάσκηση. Λυγίζοντας όλο και πιο πολύ το αριστερό του γόνατο, να τον κοιτάζουν οι περαστικοί και να τον λυπούνται. Αλλά αυτός θα επεξεργάζεται τις πρωτοπόρες, πρωτότυπες ιδέες του. Αξίζει ή δεν αξίζει να αγωνιστεί για την κατασκευή δημοσίων λουτρών; Κι αν αληθεύει ότι όλες τις κεντρικές γωνίες τις λυμαίνονται κάποιοι επιτήδειοι, γιατί να μην αναλάβει επισήμως ο Δήμος την εκμετάλλευσή τους; Εφόσον την επαιτεία δεν μπορείς να την εξαλείψεις, γιατί να μην την εντάξεις νομίμως στους κόλπους σου, να την αναγνωρίσεις ως απασχόληση, να την αναβαθμίσεις; Θα μπορούσαν να υπάρχουν ωραίες γωνίες, όπου ο καθωσπρέπει επαίτης θα περίμενε το περισσευούμενο κέρμα του περαστικού. Ελεύθεροι επαγγελματίες δεν είναι; Ακόμη και στον ΟΑΕΕ θα μπορούσαν να τους εντάξουν. Σκέφτηκε ποτέ κανείς τα διαφυγόντα κέρδη του Δημοσίου από τη ζητιανιά;

Και γιατί να προσκολληθεί σε κάποια παράταξη; Δεν θα μπορούσε ο ίδιος να φτιάξει μία ολόφρεσκη δική του; Κάτι σαν κίνηση, παρέα, ρεύμα, σύλλογο στην υπηρεσία της Αθήνας. Αν ο πατέρας του έπαιξε κι έχασε, γιατί θα πρέπει να χάσει κι αυτός; Αύριο κιόλας θα τους το ανακοινώσει. Τι θα κάνουν; Στην αρχή θα προσπαθήσουν να τον μεταπείσουν. Έπειτα θα υποχωρήσει ως συνήθως η γιαγιά του. Θα ακολουθήσει αναγκαστικά και η μητέρα του. Βήμα πρώτο να νοικιάσει ένα δυάρι στα Εξάρχεια και να εγκατασταθεί μόνιμα εκεί. Έτσι, κανείς δεν θα μπορούσε να του προσάψει ότι πασχίζει τάχα μου για τη σωτηρία της Αθήνας, ενώ ο ίδιος εισπνέει ωραία και καλά το οξυγόνο του από τα πεύκα της Αγίας Παρασκευής. Δεν το 'χε συλλάβει ότι σε απόσταση αναπνοής από την Ομόνοια ορθώνεται πάλλευκο το μέγαρο της Δημαρχίας. Θα μπορούσε να ψάξει στο Ίντερνετ. Ποιος το 'χτισε και πότε. Ποιος ήταν ο πρώτος δήμαρχος. Πώς να αισθάνονται άραγε οι δημοτικοί άρχοντες όταν ανεβαίνουν τα σκαλοπάτια του Μεγάρου για πρώτη φορά; Υπερηφάνεια; Συγκίνηση; Δες, μάνα, τα κατάφερα! Αλλά πιθανόν και να μην μπορούν να αισθανθούν τίποτα πια, καμία χαρά, καμία δικαίωση. Να τους έχουν τόσο πολύ καταπονήσει, να τους έχουν ροκανίσει τα παρασκήνια. Ξαφνικά τον έπιασε νύστα. Προχώρησε με δυσκολία, σέρνοντας σχεδόν το δεξί πόδι του, και κάθισε στο πεζούλι, φάτσα στο πολυκατάστημα. Ένα περιστέρι τον πλησίασε. Καμία ομοιότητα με την κοψιά του άλλου που τον ξεσήκωσε. Και τι κάνει; Ραμφίζει λαίμαργα το παπούτσι του; Ένιωσε το κουτάκι με το δαχτυλίδι στη μέσα τσέπη του μπουφάν.

Κάποιος μεσήλικας ήρθε και κάθισε, σχεδόν αθόρυβα, δίπλα του. Φάνηκε έπειτα από λίγο κουτσαίνοντας ένας νεαρός με αντιανεμικό μπουφάν. Ο μεσήλικας σηκώθηκε και τον πλησίασε. Έχωσε το χέρι στην τσέπη του παντελονιού του, κάτι έβγαλε και του δείχνει, ο νεαρός κάνει να το χουφτώσει, τραβάει αμέσως το χέρι του ο μεσήλικας, εμφανίζει τότε από την τσέπη του μπουφάν ο νεαρός ένα κουτάκι. Ο μεσήλικας τον κοιτάζει δύσπιστα. Ανοίγει ο νεαρός το κουτάκι. Συγκατανεύει ο μεσήλικας. Η συναλλαγή ολοκληρώθηκε. Άρχισε έπειτα να απομακρύνεται ο νεαρός λυγίζοντας το αριστερό του γόνατο. Επέστρεφε ο μεσήλικας και κάθισε στο πε-

ζούλι. Όχι όμως αθόρυβα. Ξερόβηξε, άναψε τσιγά-
ρο, μετακινήθηκε πιο κοντά του. Βολεύτηκε σταυ-
ροπόδι. Τζάμι, τον άκουσε να λέει, σαν να παραμι-
λούσε. Γύρισε και τον κοίταξε. Λίγο και καλό, εξή-
γησε ο μεσήλικας, και συνέχισε ψιθυριστά: Δωρεάν
το δείγμα, δοκίμασε και θα με θυμηθείς, κάθε μέρα
εδώ την ίδια ώρα, εγώ για σένα εδώ.

Η γυναίκα με το παιδί που ήθελε σοκολατίνα δεν
ήταν πια στο τραπεζάκι. Ούτε κι αυτός με το λά-
πτοπ που επιστατούσε τον πλανήτη. Πότε έφυγαν
και δεν τους πήρε είδηση; Και ο πρώην υπουργός
με τη θεαματική συνοδό του; Και η γυναίκα που θα
συνδύαζε το βραδινό της με μαύρη γόβα και μαντί-
λι σατέν φούξια στον λαιμό; Τι είχε συμβεί; Τον
πλησίασε ο σβέλτος σερβιτόρος, χαμογέλασε, αντι-
κατέστησε για δεύτερη φορά το ξέχειλο σταχτοδο-
χείο με καθαρό, πρέπει να παραδώσει, σχολάει.
Του ανταπέδωσε το χαμόγελο, έβγαλε το δερμάτι-
νο πορτοφόλι, τράβηξε ένα χαρτονόμισμα των είκο-
σι, τα ρέστα δικά σου. Ο σερβιτόρος τον ευχαρίστη-
σε. Τον ακολούθησε για λίγο με το βλέμμα, κοίταξε
έπειτα το ρολόι του. Με το ίδιο σφίξιμο στο στομά-
χι, το ίδιο πάντα μουρμουρητό. Τη σωματική δυ-
σφορία. Αλλά και την αγάπη. Εκείνο το δέσιμο το
ανεξιχνίαστο. Μπορείς να ξεφύγεις; Δεν μπορείς.
Κι ούτε το θέλεις να μπορείς. Αλλού και πάλι δεν
θα πρέπει να ριζώσεις; Εκτός εάν. Εάν τι; Του ήρθε

ολοζώντανο το προσωπάκι του παιδιού που ήθελε σοκολατίνα. Πού το διάβασε; Τόσους αιώνες με τα ίδια παιχνίδια τα παιδιά. Παντού στον πλανήτη. Από παιδί σε παιδί η σκυτάλη. Στους χωματόδρομους της γειτονιάς, στις πλατείες, στα χωράφια. Κουτσό, σκοινάκι, κρυφτό, κυνηγητό. Οι βόλοι. Οι αμάδες. Η μπάλα. Να ιδρώνουν τα παιδιά, να παλεύουν, να ματώνουν. Έπειτα τι έγινε; Πότε και πώς χάθηκαν τόσα παιχνίδια, πώς και γιατί λησμονήθηκαν; Μόνο του με το παραμιλητό του σήμερα το δεκάχρονο, στο κολυμβητήριο, στο μαντρωμένο γηπεδάκι, στο τένις, στο πληκτρολόγιο του υπολογιστή. Κι αυτός; Πήρε πράγματι τη Σταδίου από το αριστερό πεζοδρόμιο για Ομόνοια; Και τι ήταν όλες αυτές οι σάχλες, τα σχέδιά του; Και γιατί τούτο το ασπριδερό, χοντρουλό, αχόρταγο περιστέρι τσιμπολογάει το παπούτσι του; Τέντωσε το δεξί του πόδι να ξεμουδιάσει. Μετά το αριστερό. Τόσες ώρες με την πλάτη στον τοίχο. Ξαφνικά τον διαπέρασε ελαφρό τρέμουλο, ένιωσε τον ιδρώτα κρύο να κυλάει στην πλάτη του. Άλλη φορά δεν πρέπει να κάνει το χατίρι της γιαγιάς του. Ποτέ πια ισοθερμικό φανελάκι μέσα από αντιανεμικό μπουφάν. Καλύτερα, λένε, να κρυώνεις παρά να ιδρώνεις. Η κοπέλα που είχε αντικαταστήσει τον νεαρό σερβιτόρο ήρθε και ακούμπησε χαμογελαστή ένα ποτήρι νερό στο τραπέζι του. Την κοίταξε επίμονα: Κάτι να τσιμπήσω; από σαλάτες τι έχετε;

Να ασχοληθεί και μ' αυτήν; Τι να υποθέσει; Μή-

44

πως ηθοποιός που απασχολείται εδώ και ψάχνει εν τω μεταξύ για δουλειά; Από οντισιόν σε οντισιόν; Νοστιμούλα, όλο νεύρο και χάρη, γλυκό χαμόγελο. Και τι να κάνει τώρα αυτός; Να τη λυπηθεί; Του φτάνουν και του περισσεύουν τα δικά του. Πού κρύβονταν τόσα ερωτηματικά; Και τι σημαίνει ότι θα ήθελε να περπατήσει ως την Πλατεία Κοτζιά; Να κάνει τι εκεί; Να δει απέναντι το Δημαρχείο; Και γιατί να το δει; Και πώς είναι δυνατόν να λοξοδρομεί τόσο απρόβλεπτα η σκέψη του; Από το πρωί τι θέλει; Ποιο είναι το παράπονό του; Ότι κανείς δεν τον υπολογίζει; Ούτε η μάνα του ούτε η γιαγιά του. Πότε τον υπολόγισαν η μάνα του και η γιαγιά του; Ας τον αγαπούν, ας τον νοιάζονται. Και η Μιράντα; Τον αγάπησε ποτέ, κι αν τον αγάπησε, τι ακριβώς ήθελε απ' αυτόν; Του έφερε η σερβιτόρα τη σαλάτα. Της χαμογέλασε, να πληρώσω, είπε, και της έδωσε πενήντα ευρώ. Άρχισε η κοπέλα να ψάχνει στην μπανάνα της. Τα ρέστα δικά σου. Σήκωσε το κεφάλι και τον κοίταξε απορημένη, τον ευχαρίστησε. Την πρόσεχε καθώς απομακρυνόταν προς το απέναντι τραπεζάκι, τώρα θα γυρίσει και θα του ρίξει άλλη μια ματιά. Και όντως γύρισε. Μα τι τον έπιασε σήμερα και μοιράζει σε φιλοδωρήματα το χαρτζιλίκι της βδομάδας;

Ε και; Όλες τις οικονομίες του δεν τις είχε καταθέσει πριν από λίγες ώρες στο γωνιακό της Βουκουρεστίου για το δαχτυλίδι; Έπειτα βρέθηκε ή δεν βρέθηκε, σέρνοντας το δεξί του πόδι, στην Πλατεία

Κοτζιά; Και τι έκανε; Αντάλλαξε το δαχτυλίδι με την πρώτη δόση του; Κι αυτός που είχε καθίσει στο πεζούλι μπροστά στο πολυκατάστημα πανομοιότυπος με τον εαυτό του δεν ήταν; Μα τι ακριβώς είχε συμβεί; Από δω που κάθεται με την πλάτη στον τοίχο βρέθηκε στην Πλατεία Κοτζιά κι είδε τον εαυτό του που παζάρευε λίγο πιο κει για τη δόση του με αντάλλαγμα το δαχτυλίδι; Πώς μπόρεσε και τα φαντάστηκε όλα αυτά; Το πανάκριβο δαχτυλίδι ήταν πάντα μέσα στο κουτάκι και το κουτάκι στη μέσα τσέπη του μπουφάν. Επομένως; Δεν έχει μέσα του κανένα επομένως. Την απόφασή του μόνο έχει.

Τι λέει η γιαγιά του; Μη σπάσει το γυαλί, παιδί μου, γιατί δεν είναι μόνο που, κι αν το κολλήσεις, τα σημάδια, έστω και δυσδιάκριτα, θα είναι πάντα εκεί, μα και γιατί μπορεί να κόβεσαι έπειτα και να ματώνεις όλη σου τη ζωή, μαζεύοντας τα θρύψαλα που σκορπίστηκαν στο πάτωμα, πίσω από την πόρτα, κάτω από το κρεβάτι, δίπλα στο πόδι της καρέκλας. Η θυμόσοφη η γιαγιά του! Τι είναι αυτό που κάνει τους γέρους να δίνουν στους νέους συμβουλές; Το παράπονό τους για όσα έζησαν ή δεν έζησαν; Ή μήπως η υστεροβουλία τους; Η ιδιοτελής προσδοκία τους να σ' έχουν υποχείριο; Κι αυτόν; Γιατί δεν τον αφήνουν να ζήσει όπως θα ήθελε να ζήσει; Και πώς θα ήθελε να ζήσει; Θα μπορούσε να πάρει το τρένο, ένα τρένο στην τύχη, και να φύγει; Χωρίς προορισμό, ούτε τέρμα. Από σταθμό σε σταθμό μόνο. Από πόλη σε πόλη. Λογάριασε πόσοι

συνεπιβάτες τον περιμένουν. Πόσα ακούσματα, πό-
σα βλέμματα. Πόσες ιστορίες, μικρές, μεγάλες ιστο-
ρίες, παλιές. Για τους ζωντανούς, για τους πεθαμέ-
νους, για τους επόμενους. Ξαφνικά θυμήθηκε την
ημερομηνία. Μα είναι δυνατόν; απόρησε. Μπας κι
έχει αρχίσει να του κάνει νερά η μνήμη του; Ανήμε-
ρα του αγίου Νικολάου, 6 Δεκεμβρίου, ήταν. Κι
έπειτα, στις 16 του μηνός, ημέρα Τρίτη, έλαβε την
πρώτη του, πολιτικώς ορθή και άκρως ενθαρρυντι-
κή, αρνητική απάντηση: Με τις ξένες γλώσσες και
τα μεταπτυχιακά, τα τόσα εφόδιά σας και τα τόσα
προσόντα σας, κύριε, σύντομα θα βρείτε αλλού την
απασχόληση που σας αξίζει!
    Κοίταξε πάλι το ρολόι του. Και είδε πάλι τον
εαυτό του. Σε κάνα μισάωρο θα σηκωθεί και θα ξε-
κινήσει. Γιατί όχι και κουτσαίνοντας; Μα πώς το
φαντάστηκε; Ότι λυγίζοντας το αριστερό γόνατο
μπορεί να σέρνει ταυτόχρονα σαν αγκυλωμένο το
δεξί πόδι; Γίνεται; Ώρα του, λοιπόν, να το δοκιμά-
σει. Να δει κιόλας αν όντως θα τον κοιτάζουν και
θα τον λυπούνται οι περαστικοί. Ή μήπως θα τον
κοιτάζουν απλώς με περιέργεια; Αλλά μπορεί και
να μην του δίνουν καμιά σημασία. Μπορεί και να
περνάει ανάμεσά τους σαν αερικό. Να τους σκου-
ντάει και να μην αντιλαμβάνονται καν το σκούντη-
μά του. Και θα τη βρει να τον περιμένει στο στέκι
τους. Εκτός κι αν φτάσει αυτός πρώτος. Υπάρχει,
βέβαια, και το ενδεχόμενο να τον στήσει. Κάτι μέσα
του όμως του λέει ότι ειδικά σήμερα θα τη βρει να

τον περιμένει εκεί. Όταν της αφηγηθεί την περιπέτειά του, ανάλογα με τη διάθεσή της, θα τον αποκαλέσει πάλι μυθομανή, φαντασιόπληκτο, ίσως και μανιοκαταθλιπτικό. Έπειτα όμως, δεν μπορεί, θα τον αγκαλιάσει. Θα του σκάσει και κάνα στεγνό φιλί στο μάγουλο. Τίποτα δεν θα της κοστίσει ακόμη και να βουρκώσει: Σ' ευχαριστώ, Ορέστη μου, που θυμήθηκες την επέτειό μας, συγγνώμη που εγώ δεν πρόλαβα να σου πάρω κάτι. Και τότε, καθώς αυτή θα δοκιμάζει χαμογελαστή το δαχτυλίδι, χωρίς καμιά άλλη εξήγηση, χαίρομαι πολύ, θα της πει, που εφαρμόζει τέλεια στο δάχτυλό σου το μονόπετρο του χωρισμού μας.

Κι άρχισε να πιρουνιάζει τη σαλάτα του.

(2009)

48

Δεν είναι απλό

ΤΟ ΧΝΟΥΔΙ ΤΗΣ ΛΕΥΚΑΣ στροβιλίστηκε για λίγο, ήρθε έπειτα και κάθισε στο δεξί γόνατο του Θανάση. Ο Μανώλης το είδε, κάτι θέλησε να ρωτήσει, μετάνιωσε. Μόλις είχε προσέξει και τη γύρη της ελιάς στις πλάκες του πεζοδρομίου. Απέναντί του τα σκαμμένα. Ήπιε μια γουλιά καφέ. Θα αλλάξει σίγουρα, και προς το καλύτερο, η όψη της Αθήνας. Να νιώσουμε κι εμείς, βρε αδελφέ, λίγο Ευρωπαίοι. Με το μετρό μας, με το τραμ, με το υπερσύγχρονο αεροδρόμιο. Έριξε στον σκοτεινιασμένο Θανάση μια λοξή ματιά, τι του λες τώρα, σκέφτηκε, να μην μπορεί να δει πέρα από το δάχτυλό του, κι ας είναι από τα χρόνια του στρατού φίλοι, ώρες ώρες τον εξοργίζει, θα καταχρεωθούμε για το θεαθήναι, ισχυρίζεται, χορό τρικούβερτο στήσανε, μα δεν τους βλέπεις; απορώ, η χαρά των μιζαδόρων, που εδώ κοτζάμ Χαρίλαος Τρικούπης τότε ήταν ενάντιος στη διοργάνωση των πρώτων Ολυμπιακών Αγώνων στην Αθήνα! Τι να του πει;

Ότι οι καιροί άλλαξαν, ότι αν θέλουμε να ξεκολλήσουμε, επιτέλους, από τη βαλκανίλα που μας κατατρέχει πρέπει να πάψουμε να σκεφτόμαστε σαν μικροπολιτικοί επαρχιώτες; Από κάποιο μακρινό ραδιόφωνο έφτανε: *Ήλιε μου, σε παρακαλώ, πες στους χαροκαμένους...*

Για το Ιράκ διαδηλώνατε, έσπασε τη σιωπή ο Θανάσης, λες και τον είχε κουρδίσει το τραγούδι, τρέχατε και για τους μετανάστες, προπαντός το δίκιο του μετανάστη!

Δεν θα το αφήσουμε έτσι, Θανάση, θα δεις...

Για πόσο; Σήμερα πρωτοσέλιδο, μεθαύριο ούτε μονοστηλάκι...

Ο Μανώλης κάρφωσε πάλι το βλέμμα στο χνούδι της λεύκας.

Το Ολγάκι μόνο ντρέπομαι, συνέχισε μαλακωμένος κάπως ο Θανάσης, Αύγουστο σχεδιάζαμε να παντρευτούμε επιτέλους, λέγαμε να πάμε και στην Αντίπαρο για καμιά βουτιά, τώρα ούτε ως τον Άλιμο δεν μας βλέπω... Γίνεται παντρειά και άρτι απολυμένος;

Εγώ σου λέω μην αναβάλετε, στην ανάγκη πάρτε κάνα δάνειο, μην κάνεις πίσω...

Και ποιος το πληρώνει μετά; Είσαι καλά; ξέσπασε οργισμένος ο Θανάσης.

Σήκωσε τους ώμους ο Μανώλης. Καμιά όρεξη δεν είχε να του πάει κόντρα. Να του παρασταθεί μόνο ήθελε, κάπως να τον ενθαρρύνει. Εντάξει. Τα συμβατικά, τα συνηθισμένα. Τι άλλο; Κι ας ήξερε από πριν την αντίδρασή του. Αυτό μπορούσε να κάνει, αυτό έκανε.

Ο δε Θανάσης στον κόσμο του. Ούτε αυτοκινητάκι, ούτε τριαράκι, ούτε παραγκούλα στη θάλασσα, ούτε και καμιά βαρκούλα... και γαμώ τα -άκια και γαμώ τις -ούλες! Ήξερε πολύ καλά, ήταν όμως και από φυσικού του ολιγαρκής, ότι δεν τον έπαιρνε να ουρανοβατεί. Ας ήταν μεροδούλι μεροφάι στο ενοίκιο, του αρκούσε η δουλειά του, να κολλάει ανελλιπώς τα ένσημά του. Και ούτε καταδέχτηκε ποτέ να θεωρήσει τον εαυτό του, ακόμη και τις πιο μαύρες στιγμές, αποτυχημένο. Ας τον βομβάρδιζε κι αυτόν καθημερινά η εικόνα του γκλαμουράτου που έπιασε την καλή. Του 'χε πει κάποτε η Όλγα, πώς του το 'χε πει; Ότι χρειάζεται και λίγο ρίσκο στη ζωή; Και τριβόταν γατούλα πάνω του. Τόλμη χρειάζεται, Θανάση μου, πώς το λένε; αποκοτιά. Ήταν τότε που τους είχε πιάσει όλους αμόκ με το Χρηματιστήριο. Πού τους έχανες, πού τους έβρισκες τους καπιταλιστές, έξω από τη Σοφοκλέους να ξεροσταλιάζουν! Γιατί δεν δανειζόμαστε πεντέξι εκατομμύρια να τα παίξουμε κι εμείς, τι είμαστε δηλαδή εμείς; Δεν έχουμε όνειρα εμείς, φιλοδοξίες; Του ανέφερε και την τάδε που άλλαξε την τραπεζαρία της και την άλλη που αγόρασε οικοπεδάκι παραθαλάσσιο στη Σαλαμίνα, γιατί εσύ, αγαπούλα, είσαι αρνητικός; Έτσι, με τον μισθουλάκο θα στήσουμε σπιτικό;

Μόνο που δεν έκλαιγε χθες η Στάη, έσπασε τώρα τη σιωπή ο Μανώλης, είδες την εκπομπή της; Πολύ ανθρώπινη...

Μ' είχε πάρει ο ύπνος... Είχα κατεβάσει και μισό μπουκάλι ούζο...

Αυτό σου 'λειπε, να το ρίξεις και στα ούζα, πρόσεξε... Με το πιοτό δεν λύνονται τα προβλήματα, δίστασε κάπως, προσέχοντας τις μύτες των παπουτσιών του κι αμέσως μετά καρφώνοντας πάλι το βλέμμα στο χνούδι της λεύκας, ως φίλος σού μιλώ, άκουσέ με, συνέχισε, παρασυρμένος σχεδόν άθελά του από την ανάγκη της στιγμής να είναι όσο γίνεται πιο ειλικρινής, να του ανοίξει την καρδιά του, μπας και τον συνεφέρει, δεν καταλαβαίνω, θαρρείς; Μ' έχεις άχτι, τι ανάγκη έχει αυτός, μπορεί και να σκέφτεσαι, σήμερα στο συνδικάτο, αύριο εργατοπατέρας, μεθαύριο βουλευτής, γιατί όχι και υπουργός; Αλλά δεν είναι έτσι...

Μάντης είσαι; Τον εαυτό μου έχω άχτι. Αν δεν ήμουνα βλάκας, τι νομίζεις; Θα 'μουνα ή δεν θα 'μουνα βολεμένος σήμερα στο Δημόσιο; Τι φόντα έχει ο Παύλος; Του δημοτικού, και κοντεύει να γίνει έφορος Αρχαιοτήτων...

Άντε πάλι, αντέδρασε μετανιωμένος ο Μανώλης, τι σου φταίει ο Παύλος; Σου φταίνε και οι μετανάστες, σε λίγο θα σου φταίει και ο αέρας που αναπνέεις...

Γιατί εσένα δεν σου φταίει; Αυτός ειδικά μολυσμένος δε λένε πως είναι; Και τέλος πάντων... η κατήχηση κομμένη... Πρόσεξες τη χαμηλοκώλα;

Ποια χαμηλοκώλα;
Τώρα δεν πέρασε μια ξανθιά χαμηλοκώλα;
Και ξανθιά και χαμηλοκώλα; Εκτός γραμμής εί-
σαι σήμερα...
Και ποια είναι η γραμμή, παρακαλώ;
Και ρατσιστής και μισογύνης... Καλά, αστειεύ-
ομαι, κάποιος θα πρέπει όμως να σου μιλήσει για
την πολιτική ορθότητα... Θυμάσαι εκείνη τη διαφή-
μιση με την οδοντόπαστα;
Ο Θανάσης προσπάθησε να ελέγξει τον εκνευρι-
σμό του. Θυμήθηκε την προχθεσινή τηλεοπτική ει-
κόνα. Μπήκε, λέει, μια ξένη, πεινασμένη αρκούδα,
οδηγημένη από τη μυρωδιά του λαδιού στο καντήλι,
και τα έκανε όλα λίμπα στο νεκροταφείο ενός πα-
ραμεθόριου χωριού. Κι έκλαιγε η γερόντισσα που η
Αλβανή αρκούδα-βάνδαλος πάτησε τον τάφο του
ανδρός της. Κι ένας μεσήλικας παρακεί έδινε όρκο
ότι θα μείνει ξάγρυπνος με το τουφέκι του στον
ώμο να την παραμονέψει και να τη σκοτώσει. Και
το δίλημμα; Με την αρκούδα ή με τον χωρικό; Ποιος
θα 'πρεπε να νοιάζεται για τους ανθρώπους του
παραμεθόριου χωριού, για να μπορεί κι αυτός να
νοιάζεται για την αρκούδα; Φάνηκε χαμογελαστή η
Όλγα από τη γωνία. Κάτι έγινε μέσα του, πρόσεξε
ότι ο Μανώλης κάρφωσε το βλέμμα στα πόδια της.
Μίνι το Ολγάκι, έρχονται και φεύγουν οι εποχές,
πάει κι έρχεται η μόδα, το Ολγάκι όμως εκεί, χει-
μώνα καλοκαίρι, με το μισό μπούτι έξω. Και του
φάνηκε ο δεσμός τους παλιά ελληνική ταινία.

53

Έσκυψε και τον φίλησε στα πεταχτά, ανασηκώθηκε ο Μανώλης, σταυροφιλήθηκαν.

Τώρα με την άτυπη, είπε ο Θανάσης, πρέπει να κόψουμε τα πολλά φιλήματα...

Τον ακούς; ζηλεύει... Τον Μανώλη, βρε;

Κάθισε δίπλα του, τον τσίμπησε ελαφρά στο μάγουλο, τον ξαναφίλησε.

Ξέρεις εσύ, τη ρώτησε, τι σημαίνει πολιτική ορθότητα;

Το εφικτό στην πολιτική;

Καμία σχέση, είπε ο Μανώλης, πώς σου 'ρθε;

Ξέρω γω... χαμογέλασε αμήχανα η Όλγα.

Πολιτική ορθότητα είναι να μην είσαι μισαλλόδοξος, να σέβεσαι τις μειονότητες, τις ιδιαιτερότητες...

Σαβουάρ βιβρ, δηλαδή; τον έκοψε δηκτικά ο Θανάσης, αυτό σε χάλασε; Γι' αυτό ενοχλήθηκες που είπα πριν την ξανθιά χαμηλοκώλα; Πώς να την έλεγα;

Να μην την έλεγες... δεν μπορείς να χαρακτηρίζεις μια γυναίκα από τα οπίσθιά της και μόνο, τον αποπήρε ο Μανώλης.

Ούτε από το βυζί της; Αν μια γυναίκα έχει μεγάλα βυζιά, δεν θα την πω βυζαρού;

Θανάση, μου λες τι σ' έπιασε; Φιρί φιρί το πας να με νευριάσεις, ύψωσε τη φωνή η Όλγα.

Εμένα να δεις, καλά το λένε, στις δυσκολίες φαίνεται ο χαρακτήρας του ανθρώπου, και τι έγινε, βρε Θανάση, απόλυση είναι, δεν είναι θάνατος, θα βρεθεί άλλη δουλειά...

Ποια δουλειά; Να κολλώ μπρίκια;

Αυτό είναι το λάθος σου, στην εποχή της καφετιέρας να μιλάς εσύ για μπρίκια...

Πες τα, χρυσόστομε! Χρόνια τώρα τον παρακαλώ να στήσουμε μια δουλίτσα οι δυο μας, να 'χουμε ήσυχο το κεφάλι μας... αφεντικά.

Κούνια που σε κούναγε, αντέδρασε ο Θανάσης, την ακούς; Τ' όνειρο του Νεοέλληνα με το μαγαζάκι του. Κι εγώ γι' αυτό έφαγα τόσα χρόνια από τη ζωή μου; Γι' αυτό έμαθα την τέχνη μου; Για να γίνω ψιλικατζής;

Θα γίνεις και εβγατζής, τον προκάλεσε θιγμένη η Όλγα, και ταβερνιάρης και καφετζής. Ακόμα δεν το κατάλαβες; Ό,τι μπορούμε θα κάνουμε για να ζήσουμε... Σήμερα δεν είναι όπως παλιά, παλιά μάθαινες μια τέχνη κι έκανες περιουσία με την τέχνη σου... Εμένα ο πατέρας μου...

Άφησε να χαρείς, μη μ' αρχίσεις πάλι με τον πατέρα σου. Τα ξέρω αυτά, να σου πω κι εγώ για τον παππού μου;

Είδα χθες τη Στάη, συνέχισε απτόητη η Όλγα, μας προετοιμάζουνε σιγά σιγά, εγώ αυτό κατάλαβα, μια θέση εργασίας, λέει, θα τη μοιράζονται τρεις... Δουλεύουμε από λίγο, τρώμε από λίγο, ασφαλιζόμαστε από λίγο...

Σοβαρά; Και πηδιόμαστε από λίγο; κάγχασε ο Θανάσης κοιτάζοντας τον Μανώλη, γι' αυτό σε συγκίνησε η Στάη;

Γέλα εσύ, εγώ δεν μιλάω άλλο, αδύνατον να συνεννοηθώ σήμερα μαζί σου.

Μανώλη, πες του κάτι, κακό είναι να ανοίξουμε ένα μαγαζάκι; Να πάρουμε δάνειο και να στήσουμε μια δουλίτσα, να μην έχουμε κανέναν ανάγκη; Κακό δεν είναι... αλλά δεν μιλάμε τώρα γι' αυτό, σημασία έχει, εξήγησε ανόρεχτα, κοιτάζοντας το ρολόι του, αν θα μπορέσουμε να αντιμετωπίσουμε συλλογικά το πρόβλημα της ανεργίας, όλοι μαζί, από κοινού, πώς το λένε; σαν κοινωνία...

Μα δεν είπαμε; Με την πολιτική ορθότητα, τον διέκοψε και πάλι σαρκάζοντας ο Θανάσης, σου πετάνε τη ρετσινιά και καθαρίσανε, καλά, εγώ είμαι μισογύνης και ρατσιστής, τόνισε τις λέξεις, γενικά όμως, θεωρητικά, γίνεται πολιτική ορθότητα χωρίς κοινωνικό κράτος; Δεν αρκεί να μιλάς για πολιτισμό, Μανώλη, για να είσαι πολιτισμένος... Και να σου πω, όσο πιο πολύ αγριεύει το σύστημα, χρόνια τώρα, όσο πιο πολύ δηλαδή συρρικνώνεται το κοινωνικό κράτος, τόσο πιο συχνά ακούω να μιλάνε οι λογής καριερίστες για σεβασμό στα ατομικά δικαιώματα, λες και τα ατομικά δεν έχουν καμιά σχέση με τα κοινωνικά δικαιώματα, το δικαίωμα στη δουλειά, ας πούμε, αλλά τι λέω; Δικαίωμα στην απασχόληση το πλασάρουν τελευταία, ή κάνω λάθος;

Δεν θα διαφωνήσω, είπε ψυχρά ο Μανώλης.

Η Όλγα έσκυψε και φύσηξε πέρα το χνούδι της λεύκας από το γόνατο του Θανάση. Το πρόσεξε αυτό ο Μανώλης. Κοίταξε πάλι το ρολόι του.

Να παραγγείλω κι εγώ κάνα φραπέ; ρώτησε ναζιάρικα η Όλγα.

Συγγνώμη, Ολγάκι, είπε ο Θανάσης, τη χάιδεψε βιαστικά στα μαλλιά, και σηκώθηκε. Τώρα θα με σχολιάζουν, σκεφτόταν, καθώς προχωρούσε προς το εσωτερικό της καφετέριας. Αλλά; Χάνεις τη δουλειά σου, χάνεις την αξιοπρέπειά σου, χάνεις και την ψυχραιμία σου... Παράγγειλε τον φραπέ γλυκό. Όσο να γίνει, μπήκε στην τουαλέτα, από ώρα τον βασάνιζε η κύστη του. Μπορεί και να 'χει δίκιο η Όλγα, ειδικά τώρα, πόσο θ' αντέξει με τα ψίχουλα από το Ταμείο Ανεργίας; Θα μπορούσαν, ίσως, να ανοίξουν καμιά ταβερνούλα, να φωνάξουν και τη μάνα της να μαγειρεύει, εκείνη χαμογελαστή και καπάτσα στο ταμείο, αυτός στο σέρβις, άσχημα θα 'ναι; Μαγαζάκι... δουλίτσα... ταβερνούλα... μπορεί και σ' αυτά τα χαϊδευτικά, κύριέ μου, να κρύβεται η χαρά της ζωής, τι θαρρείς; αυτοσαρκάστηκε. Και διαμιάς του 'φυγε ένα βάρος, αυτή η γροθιά στο στομάχι, το αγκάθι στον λαιμό. Τι του φταίει τώρα ο Μανώλης, να του ανεβάσει το ηθικό θέλει ο άνθρωπος, κακό είναι; Δεν του το λέει και η μάνα του; Άμα εσύ τα πας καλά με τον εαυτό σου, άμα εσύ δεν χάνεις τα κουράγια σου, κανείς δεν μπορεί να σε βλάψει... Ανάσανε βαθιά και μισογέλασε.

Δεν είναι απλό, έλεγε συνοφρυωμένη η Όλγα στον Μανώλη, τη στιγμή που ακουμπούσε ο Θανάσης τον φραπέ της στο τραπεζάκι.

Τι δεν είναι απλό; ρώτησε.

Τίποτα, είπε η Όλγα, κάτι λέγαμε, άσχετο, πάμε μετά Μοναστηράκι; Να δούμε και τον καινούριο σταθμό του Μετρό; Καλά καθόμαστε εδώ, τουρίστες είμαστε; την πείραξε τρυφερά ο Θανάσης και στράφηκε στον Μανώλη: Άργησε η Πόπη ή μου φαίνεται; Μπορεί να 'μπλεξε στην κίνηση, έσπευσε να σχολιάσει, σαν ταραγμένη, η Όλγα.

Ο Θανάσης είχε πάλι κλονιστεί, ένιωθε τα μάτια του βουρκωμένα, αν τον ρωτούσε η Όλγα τι έχει, θα το 'ριχνε στη γύρη της ελιάς που τον διαλύει κάθε Μάιο. Η Όλγα όμως άρχισε να ρουφάει αμίλητη λίγο λίγο τον φραπέ της. Με το βλέμμα πέρα. Και του φάνηκε σαν βιδωμένη εδώ και πέντε χρόνια στην ίδια καρέκλα δίπλα του. Πού θα καταλήξουν; Αλλ' ο Μανώλης, κοιτάζοντας απλανώς με σφιγμένα χείλη μπροστά του, είχε καταλήξει. Του κάνει και πνεύμα ο Θανασάκης! Αυτόν εννοούσε προηγουμένως με την μπηχτή του για τους λογής καριερίστες... Αυτόν ήθελε να πειράξει πριν από λίγο, δείχνοντάς του την περαστική ξανθιά, νά το γούστο σου, ήθελε να του πει, νά ο συνδικαλισμός σου, δείξε μου τη γυναίκα που τραβιέσαι, να σου πω ποιος είσαι! Μωρέ, δίκιο, απόλυτο δίκιο, έχει ο Παύλος: Απορώ μ' εσένα, δεν τον βλέπεις; Μου λες τι περιμένεις από τον Θανάση; Κι ας κάνει τον συνειδητό, τον αποφασισμένο, ένας λούμπεν είναι, ένας κακομοίρης ξερόλας...

Για πού το 'βαλες; απόρησε ο Θανάσης, βλέπο-
ντάς τον να σηκώνεται απότομα.

Αν φανεί η Πόπη, μου έτυχε κάτι έκτακτο...
Μανώλη, είπε η Όλγα, δεν είναι σωστό...
Σωστό ή όχι, σκασίλα μου. Την κοίταξε: Εμείς
τα λέμε... και άφησε ένα χαρτονόμισμα των πέντε
στο τραπεζάκι.

Τον έβλεπαν σιωπηλοί να απομακρύνεται, όσο
που έστριψε στη γωνία.

Κατάλαβες εσύ τίποτα; ρώτησε η Όλγα.

Για την πολιτική ορθότητα;

Αχ... κόλλησε η βελόνα, τσατισμένος με την Πό-
πη δεν έφυγε;

Ε και; Μπορεί και μ' εμένα... ο γαλαντόμος, μας
άφησε και πέντε ευρώ... κάτι έλεγες πριν, μωρό
μου, για μια δική μας δουλειά, ξέρεις τι σκέφτηκα;
Θα μπορούσαμε...

Άσε καλύτερα... δεν είναι απλό, θέλει πολύ ψά-
ξιμο, τον έκοψε η Όλγα.

Ένιωσε ο Θανάσης ένα μυρμήγκι στο μπράτσο
του και το 'λιωσε ασυναίσθητα με τον δείκτη και
τον αντίχειρα του δεξιού χεριού. Κοίταξε τα δάχτυ-
λά του. Δεν είχε μείνει τίποτα. Μούδιασε στη σκέ-
ψη ότι κι αυτόν θα μπορούσε ένα άλλο ον, πιο εξε-
λιγμένο, να τον συνθλίψει. Και να μη μείνει τίποτα.
Και τι ήταν το υπονοούμενο εμείς τα λέμε; Σαν τι
έχει να πει ο κύριος με την Όλγα του; Ήξερε όμως
ότι δεν πρέπει, ότι δεν του επιτρέπεται να τη ρω-
τήσει από πού κι ως πού τόση οικειότητα μαζί της

ο Μανωλάκης, ότι το μόνο που θα κατάφερνε, αν τη ρωτούσε, θα 'ταν να ρίξει ο ίδιος το λάδι στη φωτιά που θα τον ζεμάτιζε.

Αναζήτησε την παλάμη της.

Συγγνώμη, Ολγάκι, σε διαόλισα πριν... Όλο και πιο πολύ τελευταία, εντάξει, μπορεί και να κάνω λάθος, μου τη δίνει, πάντως, ο μουλωχτός. Φίλος σού λέει... μου λες τι τους θέλω τότε τους εχθρούς; Όσην ώρα σε περιμέναμε πριν, μ' είχε φάει με το βλέμμα του, συνέχεια καρφωμένο στο γόνατό μου, δεν ξέρω, θαρρεί, τι σκέφτεται για μένα, σου λέει, πάει αυτός, εφόσον σακάτεψε ο παλικαράς τον μηνίσκο του, μπάλα δεν θα ξαναχαρεί...

Η Όλγα είχε αφήσει ψόφια την παλάμη της στη δική του. Με το άλλο χέρι κρατούσε το μισοάδειο ποτήρι του φραπέ, δαγκώνοντας το καλαμάκι.

Τον γάμο μας, πάντως, δεν πρόκειται να τον αναβάλουμε, συνέχισε ο Θανάσης, αποφασισμένος να μην αφήσει κανέναν, και προπαντός τον Μανώλη, να τον κάνει λιώμα, σήκω, τι λες, πάμε Μοναστηράκι... να δούμε και τον καινούριο σταθμό, αυτό δεν ήθελες;

Περιμένουμε την Πόπη, μουρμούρισε, τραβώντας απότομα το χέρι της.

Τι; Να μας κρατήσει το φανάρι; Έκανε να γελάσει με το αστείο του, αλλά τον αποθάρρυνε το ύφος της, εντάξει, υποχώρησε, ποιο το πρόβλημα; Παίρνουμε και την Πόπη, πάμε να σας κεράσω κάνα σουβλάκι, να πιούμε και καμιά μπίρα...

Εντάξει, είπε, αλλά να ξέρεις, μ' έχει κουράσει η ξεροκεφαλιά σου...

Δεν είναι βλάκας, αλλά και να 'ναι, δεν είναι ως το τόσο, για να τη ρωτήσει τι εννοεί. Θα την αφήσει να της περάσουν τα νευράκια. Κι αν αυτήν την έχει κουράσει η ξεροκεφαλιά του, τον έχει κι αυτόν κουράσει η ελαφρομυαλιά της να κάνει σχέδια ανεφάρμοστα. Και καλύτερα, ευτυχώς, δε λες, που του κάνει τώρα το βαρύ πεπόνι; Σκέψου και να 'μπαινε στον χορό του ταβερνιάρη από μια στιγμή και μόνο αδυναμίας, σκέψου να του 'λεγε μπράβο, Θανάση μου, που το αποφάσισες επιτέλους, χρόνια την περίμενα τούτη τη στιγμή, και να 'ρχιζε τα ναζιάρικα, να τον θόλωνε ακόμη πιο πολύ! Αλλά, αν γι' αυτήν δεν είναι μια φορά απλό, γι' αυτόν δεν είναι απλό χίλιες φορές. Κι αν κάτι έχει αρχίσει να ψήνει η κυρία με τον Μανώλη, ας το προσέξει να καλοψηθεί, εμπόδιο αυτός δεν πρόκειται να της σταθεί. Αμέ τι νόμιζαν; Θα τους βάλει, λοιπόν, όλους στη θέση τους, γνωστούς και φίλους, και προπαντός τον Μανωλάκη. Για πολιτική ορθότητα δεν του τσαμπουνούσε ο πολιτισμένος προ ολίγου; Ας την πάρει λοιπόν όλη, χαλάλι του, ας τη χαίρεται! Ρεντίκολο αυτός δεν πρόκειται να γίνει. Μήπως, επομένως, καιρός του να του δίνει; Και γιατί να μην πάει στο χωριό του πατέρα του, να επισκευάσει το ρημαγμένο σπίτι, να σκάψει το αμπελάκι, να οργώσει και να λιπάνει τις ελιές τους, να σπείρει τα χωράφια; Τότε, ναι, θα είναι πράγματι κύριος του εαυτού του. Κι αν θέλει, τον ακολουθεί η Όλγα, αν όχι, με γεια της και χαρά της. Της εύχεται βίον ανθόσπαρτον! Πρόσεξε μια νιφάδα λεύκας που χόρευε παρακεί, ώσπου ήρθε και κάθισε στα μαλλιά της Όλγας. Αλλά δεν έκανε την παραμικρή κίνηση ο Θανάσης. Να τη χαϊδέψει λίγο στο κεφάλι, να διώξει το χνούδι. Κι ας τον κατηγορεί για ξεροκεφαλιά, όπως το καλοσκέφτεται, σήκω κάτσε τον έχει τόσα χρόνια. Κι έμεινε ήρεμος να αναρωτιέται, με περιγελαστική σχεδόν διάθεση, πόσην ώρα ακόμη θα μείνουν βιδωμένοι στις θέσεις τους περιμένοντας την Πόπη!

(2003)

Σας αρέσει ο Μπραμς;

Για την Κάτια Γέρου

(*Σ' ένα σχεδόν άδειο δωμάτιο. Μια νέα γυναίκα μαραμένη. Πίσω της μια καρέκλα. Δεξιά της, κολλητά στον τοίχο, ένα ντιβάνι. Ρούχα σωρός επάνω στο ντιβάνι. Πάει κι έρχεται στο δωμάτιο. Σαν να προβάρει συνέντευξη. Ψάχνει θέση για να μιλήσει. Μετωπικά προς τον φανταστικό θεατή. Ψιθυρίζει:*) Ακόμα και τώρα μυρίζω ποτάμι. Είχα εκεί το σημάδι μου. Στεκόμουνα μικρή και κοιτάω ένα σημείο στο ποτάμι... Στην άκρη. Δεν μπορώ να πω. Ένα σημείο μέσα στα νερά. Λέω μπορεί ακόμα να υπάρχει. Μόνο εγώ το έβλεπα. Κι έκανα όνειρα. Όλο όνειρα. Ταξίδια... (*Παύση.*) Δε θυμάμαι... Με είχανε... και κλείνω τα μάτια και λέω: δε βλέπω τίποτα, τίποτα δε βλέπω... και κλείνω τα μάτια... Γιατί να σου λέω το όνομά μου; Μπορεί Οξάνα. Μπορεί Όλια. Όχι, δε σου λέω το όνομά μου... Ναι, καταλαβαίνω... αλλά δε θέλω να λέω, δε θέλω να μιλάω...

63

τιο. *Στάση.*) Ανεβαίνω, κατεβαίνω σε βουνό, χωρίς παπούτσια. Και είναι να πατάω αγκάθια. Το ξέρω... προσέχω μην πατάω αγκάθια και ανεβαίνω, κατεβαίνω. Ύστερα πατάω κάτι ζεστό. Όταν κοιμάμαι, περιμένω με λαχτάρα πατάω αυτό το ζεστό. Όταν ξυπνάω... αηδία. Στον ύπνο μου πατάω σκατά... (*Παύση.*)

Νορμάλ έφυγα. Μας θέλανε επίσημα δουλεύουμε Ελλάδα. Από γιατρούς πρώτα για εξέταση. Ήτανε εκεί ένας σαράντα μπορεί... με Ρόλεξ. Τότε δεν ήξερα για Ρόλεξ, τι πάει να πει *ρολόι Ρόλεξ*... Μας δέχεται σε μεγάλη σάλα. Κύριος σοβαρός. Έτσι φαινότανε. (*Παύση.*) Σαν όλες γυναίκες στη Δύση... Ό,τι θέλετε θα έχετε. Όλο το βλέμμα του σ' εμένα. Δεν μπορώ να πω. Πολύ με κολάκευε. Αλλά είχα και ταραχή.

Έπειτα, μία μία χωριστά. Interview. Κοίταξε χαρτιά, πολύ ευχαριστημένος. (*Μιμείται τη φωνή του:*) Εσένα σε στέλνω σε πλούσιο σπίτι. Τίποτα... Θα ανοίγεις την πόρτα και θα δέχεσαι ξένους... (*Παύση.*) Πολύ έξυπνος. Κατάλαβε αμέσως... φοβάμαι. Ήμουνα μικρή, ήθελα να φεύγω, αλλά δεν ήμουνα χαζή, φοβόμουνα, τόσα ακούγαμε, όνειρα μόνο...

(*Μιμείται:*) Μη φοβάσαι, σε ξεχώρισα, γιατί έχεις κάτι το άλλο εσύ. Μιλάς και τα αγγλικά. Στα αγγλικά μού μιλούσε. Αξίζεις κάτι το πιο παραπάνω

66

εσύ. (*Παύση.*) Είπα μέσα μου: και τι γίνεται; Αν με θέλουνε για... θα σηκώνομαι να φεύγω. Είχα πολλή εμπιστοσύνη στον εαυτό μου. Οι γυναίκες που... είναι γιατί δεν έχουνε personnalité.

(*Αρχίζει πάλι να κινείται.*) Κρυφά από πατέρα... Λέω στη μάνα φεύγω Ελλάδα, φυλάω μωρά. Νά τα χαρτιά μου, όλα εντάξει. Θα σου γράφω, θα σου στέλνω λεφτά. Η μητέρα έκλαιγε. Τάδε μέρα, τάδε ώρα. Και τα δέκα κορίτσια με αεροπλάνο. Ετοίμαζα τη βαλίτσα μου, είχα χαρά μεγάλη αλλά και ταραχή. Τι με περίμενε;

Στην αρχή εντάξει. Το σπίτι σε εξοχή. Μεγάλο σπίτι. Καμαριέρα, κηπουρός, σοφέρ. Ο κύριος του σπιτιού μόνος. Ούτε γέρος, ούτε νέος... Πέρασε μια βδομάδα... Έρχονται διάφοροι και παίζουνε χαρτιά μέχρι πρωί. (*Παύση.*) Απέξω σκυλιά... πολλά σκυλιά γαβγίζουνε. Όλοι επίσημοι, πλούσιοι, (*σκέφτεται*) το χρήμα δεν μπορεί να κρύβεται. Ο ένας φώναζε τον άλλο πρόεδρος. Κύριος πρόεδρος, άκουγα. Όλοι πρόεδροι. Μερικοί είχανε και όπλο. Λέω τι γίνεται εδώ... What is going on here; Λέει η καμαριέρα... τίποτα... τίποτα... it is a habit here as in Chicago... Έγραψα στη μάνα μου, έδωσα στο σοφέρ να το στέλνει... έμαθα μετά, ποτέ δεν...

Στενοχωριόμουνα γιατί δεν μ' αφήνανε να περπατάω στην πόλη. Έβλεπα μόνο δέντρα... Πέρασε κι άλλη βδομάδα. (*Παύση.*) Μόλις έκλεινα μάτια, το όνειρο... ανεβαίνω, κατεβαίνω σε βουνό χωρίς παπούτσια. Και είναι να πατάω αγκάθια, το ξέρω, προσέχω μην πατάω, ανεβαίνω, κατεβαίνω. Ύστερα πατάω αυτό το ζεστό...

Τι θέλουν από μένα, μ' έκλεισαν φυλακή; (*Στέκεται μετωπικά, μιλάει γρήγορα:*) Έλεγα μέσα μου πρέπει να βρίσκω κύριο, να μιλάω. Αλλά δεν πρόλαβα... Με φωνάξανε... Άνοιξα την πόρτα. Στάθηκα στη μέση του δωματίου. Κύριος με Ρόλεξ κάνει νόημα να πλησιάζω. Δεν μίλαγε. Κοιτούσε μόνο. Είπε μετά να βγάζω όλα ρούχα. Ήθελα γίνομαι τόση, να εξαφανίζομαι, να πετάω όπως πουλιά στο σινεμά. Ή να έχω μαχαίρι... βλέπω τη λάμα του μαχαιριού... (*Παύση.*)

(*Μιμείται τη φωνή του:*) Φοβάσαι; Αν είσαι... πρέπει να ξέρω... Βγάλε τα ρούχα σου... (*Παύση.*) Ήθελα να γίνομαι μικρή, να χάνομαι. Κλείνω τα μάτια. Και άκουσα τη φωνή μου. Και πόνεσα. (*Μιλάει γρήγορα, μιμούμενη:*) Εντάξει, να πλένεσαι, να κοιμάσαι, από αύριο δουλειά...

Θέλω να φεύγω, αλλά πού να πάω; Να φωνάζω; Χαρτιά δεν είχα, τα πήρανε. Να με πιστεύει ποιος; Ποια ήτανε αυτή η πόλη; Έτρεχε ζεστό νερό πάνω μου και σκέφτομαι στην πατρίδα δεν έχουμε ζεστό νερό. Ούτε αφρόλουτρο. Έτρεμα, πονούσα, φοβόμουνα. Πάλι το όνειρο, ανεβαίνω, κατεβαίνω σε βουνό... Θυμάμαι Σεριόζα...

Δεν ήτανε ένας... τρεις. Σε μαύρο σεντόνι. Ακίνητη, πέτρα... Έβλεπα το σώμα μου. Άσπρο στο μαύρο. Έπειτα έκλεινα τα μάτια. Αυτοί τα δικά τους, εγώ σκεφτόμουνα... Δεν το καταλαβαίνεις στην αρχή. Όλα σού φαίνονται ίδια... Για να καταλαβαίνεις, πρέπει να νοσταλγείς. Όσο πιο πολύ θαμπώνει, τόσο σε πονάει. Δεν το θυμάσαι ακριβώς, κι αυτό σε πονάει πολύ... (Δύσπνοια, κάτι σαν ξερόβηχας.)

(Κάθεται πάλι στην καρέκλα, αργά, σαν να αφηγείται:) Εμένα η οικογένειά μου... τίποτα δεν ήτανε η οικογένειά μου. Κι έλεγε ο πατέρας θα τινάζει μυαλά του, αλλά μας λυπότανε και δεν τίναζε, και ο αδελφός μου στη μαύρη αγορά... Ευρώπη, μαθαίναμε, γεμάτο bordels... Σ' εμάς μόνο κρυφά, το 'λεγε ο πατέρας, ένα μόνο επίσημο για νομενκλατούρα... (Παύση.) Και σήμερα πιο χειρότερα. Αλλά σήμερα ελεύθερα.

Πέφτει ένας, ανεβαίνει άλλος. Το σκέφτομαι συχνά. Οι βασανισμένοι άνθρωποι δε γυρίζουν να κοιτάνε πίσω για να μη βλέπουν την κακιά τους τύχη που τους ακολουθεί. Το έλεγε ο πατέρας. Εγώ κοιτάω συνέχεια πίσω. Τη βλέπω την κακιά μου τύχη που με ακολουθεί και τη φτύνω. Μπορεί, αν τρέχω πολύ, να με χάνει στη γωνία. Δε με χάνει... Όσες φορές

έτρεξα να της ξεφεύγω, τη βρήκα μπροστά μου.
(*Παύση.*)

(*Αργά, ήρεμα:*) Η δική μου περιπέτεια αρχίζει από
'90. Τότε κανένας δεν ήξερε τι γίνεται. Όχι, τίποτα
δεν ξέρατε. Λέγατε μόνο οι άλλοι είναι ρατσιστές,
όχι εσείς, παλιά κι εσείς μετανάστες, καταλαβαίνε-
τε, τι καταλαβαίνετε; Το συμφέρον σας μόνο. Τι εί-
ναι *Δρόμος προς τη Δύση;* Όχι μόνο να ρωτάς, κάνε
το μυαλό να δουλεύει και λίγο. Η δικιά μου ιστορία
αρχίζει από '90... Γιατί τα λέω αυτά; Γιατί κοιτάω
πίσω; Οι πονεμένοι δε γυρίζουνε να κοιτάνε πίσω...

(*Απευθύνεται σε φανταστικό θεατή-συνομιλητή:*)
Μπορείς να μου λες τι έχει γίνει; Κι εσείς; Τι είστε; Σε
βλέπω που με κοιτάς. Με λυπάσαι; Τι κοιτάς τα νύ-
χια μου; Τότε είχα μεγάλα νύχια, βαμμένα. Κι ήμου-
να ωραία. Τι κοιτάς τα μαλλιά μου; Ήμουνα ξαν-
θιά. Τα είχα βάψει και ήμουνα κούκλα... (*Παύση.*)

Περνούσανε οι βδομάδες... Κοιμόμουνα όλο το
πρωί. Περίμενα τη νύχτα να μιλάω στον πρώτο που
έρχεται. Να τον παρακαλάω... αλλά μετά δεν...
μπορεί και κάτι να έριχναν στο φαΐ. Ήμουνα πολύ
ελαφριά. Το κορμί φτερό. Μετά βαρύ. Δεν μπορού-
σα να περπατάω... Ο κύριος του σπιτιού πουθενά.
Καταλαβαίνω έμενε αλλού. Σου μίλησα γι' αυτόν;
Δεν σου μίλησα. Δεν τον είχα δει καλά... Αυτό το
σπίτι bordel λουξ μακριά από πόλη. Εξοχή. Πολλά

δωμάτια... Όχι, δεν μπορώ να το περιγράφω, ούτε τον κύριο... Θυμάμαι απογέματα. Ξυπνούσα, ήθελα μιλάω. Ακούω τη φωνή μου. Έξω δέντρα, μακριά το βουνό. Μιλάω στην καμαριέρα. (*Παύση,* *δείχνει τους καρπούς των χεριών της:*) Οκέι, λέει καμαριέρα, δείχνει κήπο. Δηλαδή σκάβουμε λάκκο, σε βάζουμε, nobody ask for you.

Γιατί μιλάω τώρα; (*Παύση.*) Στο κρατητήριο... (*Παύση.*) Όχι, αυτό μετά... (*προσπάθεια να θυμηθεί.*)

Έρχεται ένας. Μίλαγε ευγενικά. Ρώταγε για μένα, για πατρίδα, γονείς μου. Είπε ήθελε με παίρνει κοντά του. Δεν μπορώ, λέω, είμαι εδώ φυλακή. (*Μιμείται τη φωνή του:*) Μη φοβάσαι, εγώ μιλάω και σε παίρνω... Άρχισε να φιλάει λαιμό, αυτιά. Ήθελε χωρίς φως, με άγγιζε εδώ, εκεί... (*φέρνει το ένα χέρι στο στήθος, το άλλο στο εφήβαιο.*) Μην είσαι κρύα, θέλω το καλό σου. (*Παύση.*)

Ξέρεις ποιο ήτανε το καλό μου; (*Σαρκαστικά:*) Σ' ένα σπιτάκι κλειδωμένη. Ερχόταν κι έκανε τη δουλειά του... Μόνο μια φορά τον κοίταξα στο πρόσωπο... κλειστά μάτια, σφιγμένο πρόσωπο. Ξέχασα να σου λέω, με πήγε και για αίμα, για εξέταση... Ακόμα δεν κατάλαβες; (*Γελάει:*) Το ήξερε η γυναίκα του. Δεν μπορούσε αυτή κάνει παιδί... ήθελαν εμένα γεννήσω παιδί τους. Μετά... (*χαϊδεύει την* κοιλιά της) το παιδί εδώ, η γυναίκα με φρόντιζε. Μου τα είπαν τότε όλα. Όχι όλα... (*Μιλάει γρήγορα:*) Αλλά καταλαβαίνω... Και αυτός που με πήρε από πατρίδα μου και άλλος με σπίτι στην εξοχή δούλευαν μαζί. Και είχαν θέση στην κοινωνία... Μετά είδα και όνομά τους σε περιοδικό. Πώς; βγαίνω τηλεόραση να τα λέω όλα; Τι μου λες τώρα... εγώ θα πληρώνω. Ποιον κάνω καταγγελία; Και γέννησα. Αγόρι. Ούτε το παίρνω αγκαλιά δε μ' αφήνουνε, ούτε το ήθελα... (*προσποιητά επιθετική:*) Γιατί να το παίρνω αγκαλιά;

Μου δώσανε τρακόσα χιλιάρικα. (*Μιμείται:*) Τίποτα άλλο δεν μπορούμε, σ' ευχαριστούμε για όλα. Τους άκουγα. Πέτρα. Άφηνα να με αγγίζουνε. Πέτρα. Σαν πράμα... Αλλά; Τι ήμουνα;

(*Σηκώνεται.*) Έρχεται μαύρο αυτοκίνητο. Λένε: ήσυχα... ήσυχα... Εγώ... (*Κλαίει σιγανά:*) Αεροδρόμιο... σκέφτομαι κάνω φασαρία σε αεροπλάνο. Ένας κρατάει ένεση για να έχω φόβο... (*Παύση.*)

Άλλο σπίτι. Άλλη πόλη. Εμφανίζεται μία... ήθελε παιδί. Μεγάλη. Μπορεί και πενήντα, δεν ξέρω. Έπειτα αυτός. Πολύ νεότερος. Τη δεύτερη φορά δεν ήμουνα τόσο χάλια. Φυλακή, αλλά λουξ. Πλυμένος πάντα, αρωματισμένος. Αλλά με βαριά μυρωδιά, ιδρώτας... πουφ...

Τότε... Τότε έμαθα καλά τη γλώσσα. Στην αρχή αρχή ακούω... και μαθαίνω, αλλά δε μιλούσα γιατί φοβάμαι να μιλάω και όλα στο κεφάλι... μαθαίνω κρυφά. Μετά διαβάζω. Πολύ. Με τετράδιο, με λεξικό. Για να έχω όπλο. Πόσο θα κρατάει αυτό; Θα τελειώνει κάποτε. Άμα ξέρεις τη γλώσσα που σε βασανίζουνε, έχεις μικρή ελπίδα να γλιτώνεις. Πάει κι αυτό...

Δεκαεννιά έφυγα από πατρικό... μέχρι είκοσι τρία, γέννησα δυο παιδιά για ξένους. (*Κινείται για λίγο στον χώρο. Σταματάει. Πλάτη στο κοινό· αφουγκράζεται.*) Γελάς; Ναι. Γελάς... Όχι στα φανερά. Αλλά την ξέρω την ειρωνεία σου.

Παρακάτω... Μου δώσανε δώρο βραχιόλι ακριβό. Κρύψε το, λέει η κυρία. Θα έρθουνε να σε παίρνουνε, λέει ο κύριος. Καλή τύχη.

(*Μετωπικά.*) Με φέρανε Αθήνα. Σε διαμέρισμα κλεισμένη με άλλες πέντε. Από Βαλκάνια όλες. Μικρές κοπέλες. Λέξη ελληνικά. Ούτε καλημέρα. Μας είχε ένας... μας έδερνε όποτε του κάπνιζε. Πόσος κόσμος πέρναγε τη μέρα από κει; Φόβος. Φόβος. Εκεί άρχισε, πώς να το λέω... ίλιγγος... πού είναι το πάνω, πού είναι το κάτω... Έχασα την ώρα... Περνούσανε οι μήνες. Δεν ήξερα ποιο μήνα έχει. Κάνει ζέστη, λέω καλοκαίρι είναι. Δεν ήξερα τι χρόνος είναι... '94, '95, '96... Σε θολό φως. Σε σκοτεινό νερό.

Πιάνουνε βυζιά μου, κώλο μου, αλλά ψυχή μου ποτέ... (*Παύση.*) Το σημάδι μου στο ποτάμι... σκύβουνε χαμηλά οι ψηλές ιτιές, τις βλέπω μέσα στο νερό... Οι τριανταφυλλιές στον κήπο. Μακριά... μακριά. Η γάτα μου, ο δρόμος μας. Μακρινά. Ακόμα και το χώμα μας. Αλλιώς μυρίζει το δικό σας χώμα, αλλιώς το δικό μας. Αλλιώς τα δέντρα. Άλλο πράσινο. Άλλος ουρανός. Και τα πουλιά αλλιώς. Αυτό δεν το καταλαβαίνεις στην αρχή. Όλα σού φαίνονται ίδια. Για να καταλαβαίνεις τη διαφορά, πρέπει να νοσταλγείς. Όσο πιο πολύ θαμπώνει κάτι, τόσο σε πονάει. Δεν το θυμάσαι καθαρά κι αυτό σε πονάει.

(*Σοβαρή και κάπως σκωπτική:*) Είχα προσέξει... πελάτες θέλανε κουβέντα. Όταν πιάνω κουβέντα με πελάτη, μπορεί να βοηθάει. Ήτανε ένας έμπορας... έλεγε όλο για γυναίκα του. Πολύ ψυχρή η γυναίκα του, όλο κουρασμένη. Κι έκλαιγε στην αγκαλιά μου. Λέει μια μέρα ο έμπορας (*μιμείται:*) Μπορώ να σε αγοράζω... και να σε αφήνω μετά ελεύθερη...

Στο πανεπιστήμιο, lawyer. Ήμουνα πρώτη χρονιά... έπεσα σε μεγάλες φασαρίες. Σκέφτομαι τις γενιές που πέφτουν σε μεγάλες φασαρίες. Έπειτα έρχονται οι άλλες γενιές. Τα βλέπουν όλα καλά, μετά αρχίζουν πάλι φασαρίες... (*Αναστενάζει.*)

Εσένα δε σ' ενδιαφέρουν αυτά. Θέλεις να σου λέω τη ζωή μου. Πώς έφτασα εδώ... (*Κοιτάζει το ρολόι*

74

της. Μονολογεί απευθυνόμενη στον εαυτό της:) Δέχτηκα να μιλάω για τη ζωή μου. Γιατί; Δεν περιμένω τίποτα. Και τώρα τι κάνω; Γιατί τα λέω αυτά; Προβάρω συνέντευξη; Φαντάζομαι τις ερωτήσεις και απαντάω; (*Κάθεται σταυροπόδι, προτάσσει τις γάμπες της, τις κοιτάζει, ανάβει τσιγάρο, συνεχίζει την πρόβα...*)

Με βλέπεις και βλέπω τη λύπη στα μάτια σου. Εσύ τι βλέπεις στα μάτια μου; Πρόσεξέ την, εκεί. (*Δείχνει προς τη μεριά του κοινού:*) Ρωσίδα. Βλέπεις ομορφιά; Σε δυο τρία χρόνια θα είναι αγνώριστη. Και η Μολδαβή θα είναι αγνώριστη και η Βουλγάρα. Σπάει νωρίς η γυναίκα... (*Μένει για λίγο ξαφνιασμένη:*) Αν δεν ήμουνα αυτή, όχι μπλε μάτια, δε θα με διαλέγανε μάνα στα παιδιά τους. Όχι μάνα... Ζώο που γεννάει, κι ύστερα παίρνει η άλλη το παιδί αγκαλιά.

Αν τα θυμάμαι τα παιδιά μου; (*Παύση.*)

Τι είναι καλύτερη ζωή; Χρήμα. Όλα χρήμα. Κι εσύ; Τι είσαι; Πώς ζεις; Μπορείς να ζεις χωρίς χρήμα; Οκέι, υπάρχει και κάτι άλλο που κάνει τον άνθρωπο. Αλλά καμιά φορά αυτό το κάτι άλλο χαλάει. Σαν φρούτο, ένα μήλο. Το βλέπεις ροδοκόκκινο, λες: Τι κόκκινο μήλο! Αλλά μέσα σάπιο... Εσύ τώρα θέλεις συνέχεια... Νά η συνέχεια... Ο έμπορας με αγοράζει. Αλλά δε μ' ελευθερώνει. Με θέλει μόνο δική του. Πάλι με κλειδί, από έρωτα τώρα. Πάλι έκανε τη δουλειά του... χωρίς να έχω εγώ κανένα κέρδος. Ποτέ δε ρώτησε εμένα αν θέλω. Μαλάκας. (*Παύση.*) Μόνο να βγαίνω λίγο μαζί του... Βόλτα στη θάλασσα με αυτοκίνητο. Για καφέ. (*Συγκινημένη:*) Λέω ένα βράδυ: Άφησέ με, παρακαλώ, να μιλάω στη μητέρα μου. Με λυπήθηκε και ξεκλείδωσε το τηλέφωνο. Δεν σου το είπα αυτό. Κλείδωνε μ' ένα μικρό λουκέτο το τηλέφωνο. Μη μπορώ μιλάω έξω, μην έχω επαφή με άλλο...

Κλάματα η μάνα. Είχε πεθάνει ο πατέρας, ο αδελφός μου χαμένος, κάπου εκεί, έλεγε η μάνα, Αθήνα, με παίρνει λίγο στο τηλέφωνο, δεν είναι καλά, παιδιά μου, σας έχασα. Κλάματα εγώ... είχα καιρό να κλαίω... Καλά, μάνα, όλα καλά, να έχεις εμπιστοσύνη. Ο Θεός βοηθάει, παιδί μου, λέει η μάνα, και κλαίει. Τι να ακούω; Παλιά δεν πίστευε σε Θεό η μάνα... (*Παύση.*) Περίμενε, μάνα, υπομονή... όλα φτιάχνουνε.

(*Σηκώνεται. Ψάχνει στον σωρό τα ρούχα στο ντιβάνι. Βρίσκει έναν πλαστικό φάκελο. Τον ανοίγει...*) Γιατί με κάνεις και θυμάμαι... Έχω χρόνια να τα πιάνω. Χαρτιά, ντοκουμέντα, φωτογραφίες, κοίτα εδώ... (*Δείχνει φωτογραφία:*) Πού πήγε αυτό το πρόσωπο; (*Μουρμουρίζει έναν σκοπό της πατρίδας της.*) Μην έχεις λύπη. Εγώ κανέναν δε λυπάμαι. Είμαι πέτρα εγώ. Ούτε κι εμένα... Καλά να παθαίνω. Εγώ φταίω. Ήθελα ζωή πλούσια, να πληρώνω πρέπει.

Πώς έγινε; Νά, έτσι έγινε. (*Αυτοσχεδιάζει βγάζοντας την κιλότα της:*) Ω, σε μισώ. Φωτιά να καίει την Ευρώπη σου... σαν εμένα να γίνεις. Να κοιτάς πίσω σου και να φοβάσαι. Να μετράς χαρτιά και να σου λείπουνε. Και χωρίς χαρτιά να μην έχεις πρόσωπο. Να είσαι ο κανένας. Τα μάτια που σε κοιτάνε να μη σε βλέπουνε. Να περισσεύεις παντού. Να μη χωράς πουθενά. Να σου λέει η πατρίδα σου: Φεύγα, είμαστε πολλοί και φτωχοί. Να σου λένε αλλού: Φεύγα. Με ενοχλείς. Με στριμώχνεις... (*Παύση.*)

Να είχα μια αγκαλιά... Πρώτη φορά με κοιτάς. Κι εγώ... (*Παύση.*) Δε θέλω να είμαι όλο απέναντι. Ποιο είναι εσένα το όνομά σου;

Το σκάω, με πιάνουνε... κρατητήριο σαράντα μέρες. Άλλο το σόου στην TV, άλλο η αλήθεια. Στη βρόμα σ' ένα μικρό δωμάτιο, κόλαση... όλες μαζί... φως αναμμένο συνέχεια... μία μικρή έκλαιγε, μόγια μάμουτσκα, μανούλα μου, λέτε εσείς, την παίρνανε δυο και τρεις μαζί... Με θυμήθηκε ένας εκεί με βαθμό. Του έκανα παλιά όλα τα κόλπα. Με φώναξε. Έλα, κάθισε... Μέσα σε φάκελο χαρτιά αληθινά. Με σφραγίδα αληθινή, νόμιμη. Έπειτα λέει... κάτι με τραβάει σ' εσένα... (*Δείχνει τον εαυτό της, σαρκά-*

77

ζει:) Δηλαδή εγώ... Σηκώνεται αυτός, κλειδώνει πόρτα. Ανοίγει παντελόνι. Έλα, Ιρίνα... (Γελάει θλιμμένα:) Στο καλό, στο καλό, μη χάνεσαι... (Παύση.) Και είπα μπάστα.

(Ξαφνική έκρηξη οργής:) Τι κάνεις; Ανάκριση; Πας να με μπλέκεις; Να βγάζεις είδηση; (Παύση.) Να κάνω τι δουλεία; Φυλάω παιδιά; Με πονάει να βλέπω παιδιά. Φυλάω γριές; Όχι. Να κάνω μετάφραση; Ανοίγω βιβλίο και το πετάω σε λίγο... Δε θέλω. Μυαλό δεν υπάρχει... Έλεγε ο πατέρας: Η τέχνη είναι σαν ψωμί, τόσο την έχουμε ανάγκη. Μικρή τον πίστευα. Έπειτα δεν μπορούσα να τον πιστεύω. Τον έβλεπα και τον λυπόμουνα. Μετά τον μισώ... Τώρα, δεν ξέρω. Όχι, δε μου χρειάζεται η τέχνη. Καμιά τέχνη. Πονάω πολύ βλέπω φιλμ. Και τραγούδια πονάνε. Μπορώ μόνο ακούω μουσική. Πατέρας αγαπούσε Ρίχτερ. Εγώ αγαπάω Γκλεν Γκουλντ. Έχεις ακούσει; Μπαλάντες και ραψωδίες του Μπραμς... Το βλέπω στο βλέμμα σου. Αλλοδαπή πουτάνα και ακούει Μπραμς; Οκέι, τώρα δεν ακούω. Ξέρω όμως ότι μπορώ να ακούω. Τον είχα ζητήσει στη δεύτερη εγκυμοσύνη. Η κυρία (μιμείται:) πο, πο... τι χαρά, το παιδί μας ακούει Μπραμς! Σας αρέσει ο Μπραμς; Μυθιστόρημα Φρανσουάζ Σαγκάν, έπειτα φιλμ με αγαπημένη ηθοποιό...

Παρακάτω... Έλεγα για δουλεία, Οκέι, δου-λειά... Να γίνω καθαρίστρια; (Δείχνει προς το κοινό:) Τη

βλέπεις εκείνη; Αν ήθελε ζήσει κανονικά, τίποτα
δεν περισσεύει. Αλλά θέλει να μαζεύει λεφτά και
να φεύγει. Και μένει σε υπόγειο... Όλα τα υπόγεια
της Αθήνας με ξένους. Όπως ποντίκια σε υπόνο-
μους... Μπορείς να το ακούς; Σκέφτομαι μία
parade, παρέλαση, μεγάλη παρέλαση με χρώματα,
όλες οι φυλές, όλοι οι λαοί. Με σημαίες τους. Μου-
σικές τους. Και βλέπω μεγάλες φωτιές. Να περπα-
τάνε ανάμεσα σε φωτιές οι μετανάστες και να μην
καίγονται... Οκέι, υπάρχουν και καλοί Έλληνες. Πώς
να το λέω; Όχι καλοί, με φόβο μέσα τους. Πρέπει να
υπάρχει φόβος σε άνθρωπο. Ούτε νόμος, ούτε τίπο-
τα δεν κρατάει τον άνθρωπο, άμα δεν έχει φόβο μέ-
σα του. (*Παύση.*)

Πώς το είπες; Αν-θρω-πιά; Οκέι... Να σου λέω τι πι-
στεύω εγώ... Ο άνθρωπος πρέπει να έχει κάτι μέσα
του και να φοβάται πως αν χάνει αυτό το κάτι δεν
είναι πια άνθρωπος... (*Παύση.*) Καλά, εσύ με βλέ-
πεις... υλικό. Μια αλλοδαπή που μιλάει. Θέλεις τη
συνέχεια...

Και είπα, μπάστα. Θα κάνω μόνη τη δουλειά. Κά-
λεσα τη μάνα, ήρθε τουριστικά. Νόμιμα. (*Παύση.*)
Χαρές, αγκαλιές, κλάματα. Στην αρχή δεν ήθελε,
χτυπιότανε. Μετά κατάλαβε.

(*Μιλάει γρήγορα:*) Αρχίσαμε... Φέρναμε κοπέλες
από Βαλκάνια. Όλα καλά. Αλλά υπάρχει στενοχώ-

ρια με αδελφό μου. Ρωτούσαμε, ψάχναμε. Βάζω δι-
κοί μου ψάχνουνε σε διάφορα στέκια. Μας λένε
εδώ είδαμε Ρώσο, εκεί Ουκρανό. Τίποτα. Είχαμε
και αγωνία μη μας πιάνουνε. Αγοράσαμε σπίτι με-
γάλο στην πατρίδα... και άλλο σπίτι. Ανοίξαμε μα-
γαζί. Μπορούμε να γυρνάμε πίσω. Αλλά είχα αγω-
νία για αδελφό. Να τον βρίσκω... Όλο να κλαίει η
μάνα: Παιδί μου, παιδί μου...

Πώς το λέτε; Κι έρχεται η κακιά ώρα...

Ο μαλάκας μπροστά μου στο δρόμο. Τον έπιασε
αμόκ, φώναζε, μου ρίχνεται, μαζεύεται κόσμος.
Μας πηγαίνουν στο τμήμα. Τον αφήνουνε αμέσως.
Εγώ μέσα. Ψάχνετε εσείς... Δεν ξέρετε, δεν μπορεί-
τε να φανταστείτε...

(Δυναμώνει ο τόνος της φωνής:) Ο μαλάκας είπε
τον έκλεψα κι έφυγα. Τα χαρτιά μου εντάξει, δεν
μπορούσαν να με διώχνουν, μπορούσαν μόνο με δι-
κάζουν, να κάνω φυλακή. Ζήτησα δικηγόρο. Μπο-
ρούσα ή να τα καταγγείλω όλα ή κάνω χαζή. Ο δι-
κηγόρος, καλό παιδί, με συμβούλευε να κάνω χαζή,
δηλαδή να μη μιλάω. Θα καταδικαζόμουνα λίγο,
μπορεί να με αφήνανε έξω... μπορούσε λαδώνει.
Δέχτηκα. Έρχεται η μάνα. Παρακαλάω: Σε πατρί-
δα αμέσως, εγώ ελεύθερη σε λίγο από δω, ακολου-
θώ κι εγώ, τα ξεχνάμε όλα... (Παύση.)

80

Θέλεις τη συνέχεια; Όταν είσαι άτυχη, είσαι άτυχη. Την ίδια μέρα η μάνα πεθαίνει... καρδιά. Έρχεται ύστερα δικηγόρος με μαλάκα. Βρήκανε διοικητή, ο μαλάκας είχε τρομάξει, δεν ήθελε παίρνει δημοσιότητα, όχι μήνυση. Να σου πω... Δεν τα ξέρω ακριβώς πώς γίνανε. Μ' αφήσανε ελεύθερη... Πήγα στη μάνα. Σκαμμένο χώμα. Κάνω τάφο λουξ. Με σταυρό. Με κεριά, λουλούδια. Πολλά λουλούδια. Πολλά κεριά... Έπρεπε να βρίσκω αδελφό μου, έπρεπε να περνάει τρία χρόνος, πώς το λένε; να πάρω τα κόκαλα της μάνας μου και να φεύγω. Όχι άλλο Ελλάδα... (Παύση.) Τότε αρχίσανε οι επιτροπές... ατομικά δικαιώματα... Με ψάχνανε να τους μιλάω. Τι ξέρανε για μένα; Τι να βγαίνω να λέω;

Το ξέρω... Υπάρχουνε και ξένοι που έρχονται εδώ και ζούνε κανονικά. Δουλεύουνε, έχουνε οικογένεια. Πολλοί κάνουνε και λεφτά με καλό τρόπο. Δουλεύουνε σκληρά, μπορεί και να ανοίγουνε κανένα μαγαζί, άλλοι μαζεύουνε λεφτά να γυρίζουνε πατρίδα. Τα ξέρω αυτά. Κάποιοι βολεύονται, στέλνουν τα παιδιά τους σχολείο, σκύβουν κεφάλι, παντού υπάρχουν αδικημένοι, υπάρχουνε και Έλληνες αδικημένοι, και Νέα Γιόρκη υπάρχουνε, παντού. Είναι όμως και ξένοι από την αρχή για να βασανίζονται. Δώδεκα ώρες δουλεία, ναι, δουλεία, μη διορθώνεις εδώ, για τρία ή πέντε ευρώ. Μαθαίνεις τι γίνεται; Μαθαίνεις...

(*Κάθεται πάλι στην καρέκλα.*) Μου λες τι γίνεται στον κόσμο; Πόλεμοι, φτώχεια... Μετανάστες παντού. Τι είναι Ευρώπη; Δεν μπορείς να πηγαίνεις εύκολα Καναδά, Αουστράλια, Αμέρικα. Αλλά Ευρώπη περνάς και με καραβάκι. Περνάς και με τα πόδια. Με αυτοκίνητο. Με νταλίκα.

(*Σκεφτική:*) Εγώ; Οκέι. Αλλά εγώ τις πρόσεχα. Και γιατρό και καλό φαΐ. Εγώ τις κοπέλες μου τις πλήρωνα κανονικά. Μετά το θάνατο της μάνας, φύγανε ήσυχα. Λέξη δεν είπανε...

Αν αισθάνομαι κάτι; Κενό... Αισθάνομαι το κενό, δεν υπάρχει κενό, υπάρχει μόνο πόνος συνέχεια, μπορεί και να μην είναι πόνος, βάρος μόνο. Δεν μπορώ να πάρω αναπνοή. Μπορεί να είμαι άρρωστη. Αλλά δεν έχω αρρώστια. Όταν γυρίζω πατρίδα, μπορεί βρω Σεριόζα, πρώτη αγάπη μου. Τι θέλω; Δες τα νύχια μου. Μπορεί γυναίκα ζήσει με νύχια φαγωμένα; Κάθομαι και τα τρώω. Χωρίς να το καταλαβαίνω. Σιγά σιγά. Μπορώ να μεθάω κι εδώ, μόνη μου... αλλά θέλω να μεθάω μπροστά σε κόσμο. Ξέρεις πώς με λένε; Ιρίνα, η αλκόλα. Με λένε και Ρωσίδα. Αλλά είμαι Ουκρανή. Μπορώ να σου λέω τι με χωρίζει από Ρώσους. Αλλά δε θέλω. Μη με μπερδεύεις μόνο. Θέλεις εσένα να σε λένε Τούρκο; Δεν είμαι Ρωσίδα. Μιλάω ρωσικά αλλά είμαι Ουκρανή. Θέλεις να σου απαγγέλνω Πούσκιν; Όχι, δε σου απαγγέλνω. Εξόριστος Πούσκιν σε Ουκρανία. Καταλαβαίνεις; Δεν μπορείς... Ούτε εγώ μπορώ να σε καταλαβαίνω... (*Παύση.*)

Γέννησα δυο φορές. Χάλασε το σώμα μου, χάλασε η ψυχή μου. (*Παύση.*) Τα σκέφτομαι. Θα πηγαίνουν τώρα σχολείο. Όχι, δε θα τα ζητάω. Τα σκέφτομαι μόνο. Μένω εδώ για τον αδελφός μου, αλλά μπορεί και να μην είναι για τον αδελφός μου. Χωρίς φίλους, αλλά συνήθισα εδώ, σ' αυτή την πόλη. Έχω τη γωνιά μου στο μπαράκι που με βρήκες. Βλέπω που έρχονται στολισμένες. Δουλεύουν όλη μέρα κι ύστερα έρχονται εδώ να ξεσκάνε. Στολίζονται και γίνονται κούκλες. Δεν ξέρουν... αύριο κι αυτές σαν εμένα; Το ξέρουν. Κι εγώ το ήξερα. Πρόσεξέ το: ένα λουλουδάκι στην άκρη του γκρεμού. (*Παύση.*) Γι' αυτό το λουλουδάκι ζούμε. Και καμιά φορά, αν είμαστε τυχεροί, μπορεί να φτάνει και σ' εμάς το άρωμά του. Στον αέρα. Σου έτυχε ποτέ; Εμένα στην πατρίδα. Ένα απόγευμα με Σεριόζα... Αλλά δεν ήξερα τότε. Και τώρα, η ανάμνηση μόνο της μυρωδιάς... Οι βασανισμένοι δεν κοιτάνε πίσω για να μη βλέπουν την κακιά τους τύχη που τους ακολουθεί. Το έλεγε συχνά ο πατέρας. Εγώ κοιτάω συνέχεια πίσω. Τη βλέπω την κακιά μου τύχη που με ακολουθεί και τη φτύνω. Σκέφτομαι ότι μπορεί, αν τρέξω πολύ, να με χάνει στη στροφή. Δε με χάνει. Όσες φορές έτρεξα να της ξεφύγω, την έβρισκα πάλι μπροστά μου.

Περιμένω να πάρω τα κόκαλα της μάνας μου και να φύγω. Τον αδελφό μου, όχι. Ούτε τον Σεριόζα ελπίζω να βρίσκω. Αλλά είναι στιγμές που όλα τα ελπίζω... (*Παύση.*) Καταλαβαίνεις; Και τα δυο ζευγάρια όχι ξανθά. Πώς το λέτε; Καστανά μαλλιά, μαύρο μάτι. Γι' αυτό με διαλέγουν, με νοίκιαζαν... γεννάω παιδιά. Δυο παιδιά, δικά μου παιδιά...

Ευχαριστώ πολύ που με άκουσες, ευχαριστώ ιδιαιτέρως...

Όταν τα παίζεις αυτά, εγώ δε θα είμαι εδώ. (*Φέρνει τις παλάμες στο πρόσωπο:*) Μπορεί και να μ' έχει πατήσει αυτοκίνητο... (*Σαν να υποδύεται ρόλο:*) *Θα 'ρθει καιρός που θα μάθουμε όλοι γιατί γίνονται όλα αυτά, γιατί αυτά τα βάσανα*[1]... (*Σηκώνεται.*) Πώς το λέτε; για μισοάδειο, μισογεμάτο ποτήρι... εγώ λέω σημασία δεν έχει το άδειο ή το γεμάτο, σημασία έχει το μισό. Οκέι... ούτε αισιόδοξη, ούτε απαισιόδοξη, κάθε εποχή, αγαπητέ Αντόν, έχει τα δικά της βάσανα...

Και τίποτα ποτέ δε θα μιλήσω...
Και τίποτα ποτέ δε θα μιλήσω
Καλύτερα έτσι...

(2000)

---

1. Α. Τσέχωφ, *Τρεις αδελφές*, μτφ. Αθηνά Σαραντίδη, Εκδόσεις Γκοβόστη, σ. 92.

Στον αυλόγυρο του Αϊ-Γιαννιού

ΠΡΟΦΤΑΣΕ ΤΗΝ ΠΟΡΕΙΑ στο ύψος της Ζωοδόχου Πηγής. Χώθηκε ανάμεσα στους άλλους, άναψε τσιγάρο κι έπιασε τον βηματισμό. Τον είδε που στεκόταν στο πεζοδρόμιο σαν να περίμενε. Μόλις είχε κοιτάξει το ρολόι του κι είχε στραφεί προς το Πνευματικό Κέντρο του Δήμου Αθηναίων με σφιγμένα χείλη. Γυαλιά ηλίου, τσάντα κρεμασμένη στον ώμο, λινό παντελόνι, μπλουζάκι πόλο. Πρόσεξε ότι τα μαλλιά του ψηλά στο μέτωπο είχαν για τα καλά αραιώσει. Αδυνατισμένος, κάπως γερτοί οι ώμοι του. Κάτωχρος. Ίσως ξαγρυπνημένος. Πώς θα του φαινόταν αυτή, αν την έβλεπε; Και τι θα της έλεγε; Γέρασες, αλλά μυαλό δεν έβαλες!

Μα είσαι τόσο αφελής; Εντύπωση μου κάνει το πόσο δυσκολεύεσαι να πιάσεις τον παλμό της εποχής. Και πριν από τριάντα χρόνια, του είχε αποκριθεί με εριστική διάθεση, υπήρχαν αυτοί που μιλούσαν όλο περίσκεψη για τον παλμό της εποχής. Αλλά σήμερα είναι αλλιώς! Πάντα θα είναι αλλιώς, επέμενε αυτή, το θέμα δεν είναι, φίλε μου, η κυριαρχία της Ελεύθερης Αγοράς, αλλά ποια θέση επιλέγεις εσύ για λογαριασμό σου σ' αυτή την Αγορά, ούτε το θέμα είναι ο Βολτέρος, αλλά ο τρόπος που ο καθένας μας ερμηνεύει τον Βολτέρο. Το ζήτημα, επομένως, δεν είναι αν τίναξε ή όχι τα πέταλα ο κομμουνισμός, αλλά αν θα μπορούσε ποτέ να θεωρηθεί επιστημονικός τρόπος σκέψης ο αντικομμουνισμός. Κρίμα, και σ' είχα για έξυπνη! Και πώς μετράς εσύ την εξυπνάδα; Στιχομυθία ανούσια πριν από έναν χρόνο στην ίδια γωνία, Ιπποκράτους και Ακαδημίας. Κι όσο περνούσε ο καιρός, η ανοχή της περιοριζόταν, δεν θα είχε πια φίλους, ούτε παλιούς γνωστούς για κουβέντες του αέρα.

Μπροστά οι γυναίκες με τις κλαρωτές φούστες. Με τα παιδιά τους παραμάσχαλα ή από το χέρι. Και πιο μπροστά νέοι και νέες με τη σημαία, στάμπα η μορφή του αρχηγού στη σημαία. Κίτρινος κύκλος σε κόκκινο φόντο και μέσα στον κύκλο το αστέρι και μέσα στο αστέρι η φλόγα. Και με τα σημαιάκια, την ντουντούκα, δυο ταμπούρλα για τον ρυθμό στην έρημη Ακαδημίας, τέλη ανοίξεως, Σάββατο απόγευμα. Ακολουθούσαν άντρες και αγόρια. Δυνατά το ίδιο σύνθημα. Τι να την κάνεις όμως τη φωνή σου χωρίς αυτιά να την ακούσουν; Και πώς χωράνε σ' ένα σύνθημα τόσοι διωγμοί, το αίμα, οι φυλακισμένοι, οι πνιγμένοι, οι παγωμένοι; Στο έμπα του εικοστού πρώτου αιώνα, όσο κι αν ακούγεται υπερβολή, καλοσκέφου το, η δουλεμπορία

στην καρδιά της Ευρώπης σαν να μην έλειψε ποτέ·
υποδορίως, πάντα εκεί, μεταλλαγμένη, για να υπη-
ρετεί την αυταπάτη της ευημερίας του μέσου Ευ-
ρωπαίου. Έξω από τη Βουλή παραταγμένοι πάνο-
πλοι αστυνομικοί. Η λεωφόρος Βασιλίσσης Σοφίας
άδεια. Πήρε το μάτι της τη γνωστή γκριζομάλλα
ακριβώς την ώρα που έμπαινε βιαστική στον Εθνι-
κό Κήπο. Σίγουρα στο μικρό σακ βουαγιάζ που
κουβαλούσε θα 'χε τα ταπεράκια με το ψαρόριζο
για τις αγαπημένες της γάτες. Προς στιγμήν βούρ-
κωσε. Πολλές φορές είχε αναρωτηθεί πώς και γιατί,
κάτω από ποιες συνθήκες, περνάει άθελά του, σχε-
δόν ερήμην του, ένας άνθρωπος στην αντίπερα
όχθη. Πώς και πότε μια γυναίκα αυτοεξορίζεται.
Και η πορεία σαν νεκρική πομπή. Οι ελάχιστοι πε-
ραστικοί, δεξιά αριστερά της λεωφόρου, συνέχιζαν
αδιάφοροι τον δρόμο τους. Ούτε καν γύριζαν το κε-
φάλι να κοιτάξουν.

Έπιασε το χέρι ενός μικρού παιδιού, έσκυψε και
το φίλησε, σαπούνι με μιαν ιδέα κάτουρου που δια-
πέρασε και πότισε το σώμα, κι είναι σαν να μυρίζει
το δικό της κορμί, το παιδικό, τότε που δεν υπήρχε
το θερμοσίφωνο, η μπανιέρα και το αφρόλουτρο,
και ζέσταιναν νερό μια φορά τη βδομάδα στην γκα-
ζιέρα, με τη σκάφη έπειτα στη μέση του δωματίου
και με τον μπακιρένιο μαστραπά, λίγο λίγο το νερό
στην πλάτη, λίγο και το πράσινο σαπούνι. Ζουλάει
το δέρμα του παιδιού, μαλακό και μαραμένο. Οι
παλάμες του πατέρα που κρατάει σφιχτά το παιδί

ροζιασμένες και η φωνή του βραχνή, είναι ο πολιτικός πρόσφυγας που δικαιούται μια καλύτερη ζωή, ποια ζωή; Απορριγμένοι οι περισσότεροι Κούρδοι σήμερα, στρατοπεδευμένοι, στο Λαύριο. Φτάνουν έξω από την Τουρκική Πρεσβεία, ερημιά κι εδώ.

Πόσοι μήνες έχουν περάσει από τότε που βοούσε σύσσωμη η Αθήνα από τις συναυλίες, τις διαδηλώσεις, τις εκδηλώσεις συμπαράστασης στ' αδέρφια μας τους Κούρδους; Δεν γίνεται, βέβαια, να μην ξεχνάς, θα ήταν κόλαση η ζωή, αλλά δεν γίνεται και να ξεχνάς τόσο γρήγορα. Να προσπερνάς τα γεγονότα τόσο ανάλαφρα, χωρίς να βρέξεις έστω τα πόδια σου. Τι άλλαξε στο μεταξύ; Ο εχθρός του εχθρού μας δεν μπορεί πια να είναι φίλος μας; Αρκεί αυτό; Και ο κατατρεγμένος, ο ικέτης στην αυλή μας; Δικαιούται ή όχι να ελπίζει;

Στάθηκαν και περίμεναν, άρχισε μαχητικός ο ομιλητής, τον άκουγαν οι δικοί του με ευλάβεια· τι έλεγε; Μεταφρασμένη η ομιλία του στο φυλλάδιο, για ειρήνη και για ελπίδα, τα γνωστά και τετριμμένα, για μια πατρίδα, την πατρίδα τους, για τη ζωή του αρχηγού που κινδυνεύει, για την υγεία του. Περιεργάζονταν οι έφηβοι με δέος τους οπλισμένους αστυνομικούς, κλαψούριζαν τα μωρά από αγκαλιά σε αγκαλιά. Τα κοριτσάκια προσοχή, έριχναν λοξές ματιές γύρω τους, κυμάτιζαν τα σημαιάκια των αγοριών. Κι αυτή ανάμεσά τους, ιδρωμένη, πειραγμένη με την εικόνα της, αδύναμη, ο Αϊ-Γιάννης υπάρχει, πάντοτε εκεί, πάλλευκος στο ύψωμα, αλλά δεν

88

είναι ο Αϊ-Γιάννης του στρατηγού Μακρυγιάννη, ποια είναι αυτή και ποιοι οι άλλοι; . Την κοίταζαν κάποιοι με συμπάθεια, άλλοι με περιέργεια. Ένα κοριτσάκι τη χάζευε που κάπνιζε. Μπορούσε να υποθέσει τι θα σκεφτόταν γι' αυτήν. Παρακεί μια μάνα ξεφυσούσε ιδρωμένη. Και όμως χαμογελούσαν αυτοί οι άνθρωποι. Άκουγαν με σεβασμό τον ομιλητή και πίστευαν σε όσα τους έλεγε. Κουνούσαν επιδοκιμαστικά το κεφάλι, χειροκροτούσαν, διέκοπταν κάπου κάπου, για να φωνάξουν το σύνθημά τους. Ακούστηκαν και συνθήματα στα τουρκικά. Δεν χρειάζονταν μετάφραση. Σε όποια γλώσσα και να λέγονται τα συνθήματα ο ρυθμός και ο τόνος είναι πάντοτε ίδιοι. Στεκόταν παρακεί λυπημένη. Δεν ήθελε όμως να τους λυπάται, ήθελε μόνο να τους σέβεται. Αύριο ή μεθαύριο, τη δεκαετία που μας έρχεται, τον αιώνα που διανύουμε, τον επόμενο, τον μεθεπόμενο, θα έρθει και η ώρα του κουρδικού λαού! Θεωρητικά, γιατί να μην έρθει; Μια ελαχιστότατη μετατόπιση συμφερόντων στην περιοχή θα αρκούσε για να χαραχτούν επιτέλους τα όρια του Κουρδιστάν στον παγκόσμιο χάρτη. Εφόσον ο λαός υπάρχει, εάν δεν θα έχει εν τω μεταξύ αποδεκατιστεί, θα υπάρξει κάποτε και η χάραξη των συνόρων! Προσπαθούσε να ξεφύγει από τον κυνισμό που θέλει τους λαούς παρίες στο έλεος της πολιτικής των συσχετισμών. Και ως τότε; Πώς μετριέται ο προσωπικός χρόνος, πόσο εκτιμάται η ζωή ενός Κούρδου που διεκδικεί το δικαίωμά του να ζήσει ελεύθερος;

Όταν διαλύθηκε η διαδήλωση, την πλησίασαν μερικοί και τη χαιρέτησαν διά χειραψίας, την ευχαρίστησαν ευγενικά για τη συμπαράσταση. Τους ανταπέδωσε τον χαιρετισμό, τους ευχήθηκε να πάνε όλα καλά. Έφυγε τρέχοντας για τη στάση του Μετρό. Αυτό μόνο μπορεί, αυτό μόνο κάνει. Τι σημαίνει λαός απορριγμένος; Θυμήσου τα δουλάκια, γύρισε πολύ πίσω και θυμήσου τα. Δυόμισι χιλιάδες χρόνια πίσω, αν αντέχεις, και θα τα βρεις στο Λαύριο. Χωμένα στα λαγούμια, σιδερόφρακτα. Μικρά παιδιά, σκλαβάκια. Και για να μην αναπτύσσεται το κορμάκι τους, τα 'ντυναν, λέει, και τα κλείδωναν σε σιδερένιους θώρακες. Πάντα κοντόσωμα, καχεκτικά, να σέρνονται στις υπόγειες στοές. Για τον πλούτο και το μεγαλείο εκείνης της Αθήνας παντού θα το βρεις ότι συνέβαλαν πολύ και τα μεταλλεία Λαυρίου. Για τους δούλους μεταλλωρύχους όμως πρέπει μόνος σου να ψάξεις και να σκεφτείς. Για τα μικρά παιδιά, για τα σκλαβάκια. Και να το ξέρεις. Ο Δίας έπρεπε πρώτα να συμφιλιωθεί με τους ταπεινωμένους αντιπάλους του για να στερεωθεί τόσο ψηλά. Στην κάθε Νέα Τάξη το θείον πυρ παρέχεται με την έγκριση του Νόμου. Τι διασώθηκε από το κοσμικό και ηθικό νόημα του Πυρφόρου Προμηθέα Δεσμώτη; *Εκδιδάσκει πάνθ' ο γηράσκων χρόνος*, κι εσύ άλλη ανάμεσα σε άλλους και με τον άλλο που σε παιδεύει και με τον μετανάστη σου δεμένο στην αυλή.

Κάτι προσπαθούσε να σκεφτεί. Πόσο η ανάγκη

να ορίσεις αυτό που είσαι ανάμεσα στους άλλους σε βασανίζει. Και πόσο αυτό που είσαι παιδεύεται και παγιδεύεται από τους άλλους. Αγωνιζόμαστε για την ένταξή μας σ' ένα σύνολο, διατυπώνουμε θεωρίες, επινοούμε συμβάσεις, διεκδικούμε όμως τη μοναδικότητά μας.

Αρχές Ιουλίου την υποδεχόταν, σέρνοντας τα πόδια του, στην είσοδο του χωριού, πλάι στο εκκλησάκι του Αϊ-Γιαννιού. Τρέχαν τα σάλια του, οι μύξες του, χωρίς μαλλιά, με μακρύ λαιμό, με το κεφάλι του να γέρνει λικνιστό μπροστά, σαν να κινδύνευε από στιγμή σε στιγμή να ξεκολλήσει, να κρεμαστεί ή και να πέσει κάτω το κεφάλι του, ψηλό, στραβοκάνικο, ζαλισμένο, το βλαμμένο του χωριού. Το Σηφάκι. Από τι έπασχε; Χρόνια πολλά αργότερα θα μάθαινε ότι η πάθησή του ίσως και να 'ταν η σπάνια αρρώστια ιδιωτεία. Με ουλές επάνω στις ουλές. Με χαλασμένα δόντια, θολό βλέμμα, κακοφορμισμένα τσιμπήματα κουνουπιών στα μάγουλα. Χωρίς φρύδια, χωρίς ματοτσίνορα. Στην αρχή χαιρόταν που το ξανάβλεπε. Κάθε χρόνο, περίπου συνομήλικό της, πάντα εκεί, στη θεόρατη ελιά, πόσων ετών ήταν η ελιά; Κι έπρεπε να περάσει ακόμη ένα καλοκαίρι, τότε δεν το 'ξερε, το ξέρει σήμερα, με το Σηφάκι από δίπλα για να σκαλίζει καθημερινά την ένταξή της στον κόσμο. Να πριονίζει και να πριονίζεται: Από το ίδιο ποτήρι νερό, από την ίδια φέτα καρπούζι. Να το σώζει από των λυσσασμένων συνομηλίκων τους τα χτυπήματα, μαζί στα χωράφια, στη βρύση, στο αμπέλι, στο ποτάμι, στις πλακούρες όπου στήνανε ξόβεργες για συκοφάγους. Καμία συγγένεια δεν είχε, ούτε υποχρέωση. Ήταν όμως η άλλη, η πολιτισμένη, η τετραπέρατη, αυτή που αποστήθιζε με ευκολία, μπορεί και με οίηση, τα διδάγματα του Κατηχητικού. Κι έπρεπε για να δοκιμάζεται να έχει υπό την σκέπην της το Σηφάκι: το ζωντανό παιχνίδι της, το κουρδιστό. Γιατί τότε παιδιά σαν το Σηφάκι ήταν τ' απορριγμένα, τα 'χαν εκεί οι γονιοί τους και τα μεγάλωναν σαν ζώα με τα ζώα τους.

Χεράκι ανηφόριζαν στον αυλόγυρο του Αϊ-Γιαννιού. Τώρα σχολείο, το διέταζε. Με μια βίτσα, για να το μάθει να διαβάζει. Θα πεις ή δε θα πεις τις συλλαβές; Έκανε τη φωνή της δασκαλίστικη: Για το καλό σου. Κι έβλεπε την εικόνα της όρθια στον μαυροπίνακα. Ούρλιαζε ο δάσκαλος, άκουγε το κλάμα της, τις βιτσιές του στα πόδια της. Έκλαιγε και το Σηφάκι, τρέχαν οι μύξες του, κουνούσε ανήμπορο τα χέρια. Γονάτιζε μπροστά του: Σκασμός. Μάζευε έπειτα βελανίδια από τη σκιερή βελανιδιά και του 'λεγε δυνατά: Μέτρα τα. Κι έβλεπε πάλι την εικόνα της κάτω από τα γιασεμιά του νεοκλασικού που είχε επιλέξει για πατρικό της, άκουγε τη φωνή του δικηγόρου που τη ρωτούσε θυμωμένος γιατί χώνεται στον κήπο του. Καλέ κύριε, παίζουμε κρυφτό και κρύφτηκα. Επειδή κάθε μεσημέρι, μετά το σχόλασμα, ανηφορίζοντας με τη συμμαθήτριά της Αρτεμισία, μόλις έφταναν στο γωνιακό των ονείρων της, γεια σου, της έλεγε, κι άνοιγε βιαστικά την καγκελόπορτα για να κρυφτεί κάτω από τα γιασεμιά και να περιμένει ανακούρκουδα, ώσπου η Αρτεμισία να απομακρυνθεί. Έβγαινε ύστερα κι έτρεχε σαν την κλέφτρα να χωθεί στο υπόγειο της οδού Σολωμού. Για χρόνια. Και κρίμα που ο γιος του δικηγόρου δεν ήταν ωραίος, να τον αγαπήσει.

Αποξεχνιόταν οκλαδόν στο χώμα και παρακαλούσε τον άγιο να εμφανιστεί στον ύπνο του δικηγόρου και να τον διατάξει αυστηρά, όπως μόνο ένας άγιος μπορεί, με την έναρξη της νέας σχολικής χρονιάς να παραχωρήσει στον πατέρα της το αρχοντικό του. Εφόσον ο μόνος τρόπος σωτηρίας των πλουσίων είναι να δώσουν τα υπάρχοντά τους στους φτωχούς. Κι έφτανε εκεί, στην αυλή του αγίου, σε αδιέξοδο. Αν για να σωθεί ο δικηγόρος έπρεπε να δώσει σ' αυτήν το σπίτι του, αυτή για να σωθεί σε ποιον θα 'πρεπε να το δώσει; Προς τι να δίνεις, επομένως, τον ένα από τους δυο χιτώνες σου, αν ο πλούτος είναι εστία κακού; Εσύ που δίνεις σώζεσαι, εσύ που παίρνεις τι απογίνεσαι; Γύριζε στο Σηφάκι: Μέτρα τα βελανίδια, αλλιώς θα σε βάλω να τα φας. Ήταν το άλλο, το ανισόρροπο που τη διασκέδαζε, κι ήταν η άλλη, η βασανίστρια, η δασκάλα που το προστάτευε.

Τον είδε πάλι κάτωχρο στην άλλη άκρη, κατά μήκος της αποβάθρας. Αν πράγματι περίμενε στην Ακαδημίας κάποιον ή κάποια, ο καφές τους θα ήταν βιαστικός, στα όρθια. Μπορεί ακόμη και να περίμενε αδίκως, να τον είχαν στήσει. Σάββατο απόγευμα ανοιξιάτικο, σαν καλοκαιρινό, τι δουλειά είχε γωνία Ιπποκράτους και Ακαδημίας; Και γιατί βρισκόταν τώρα στην αποβάθρα; Απ' όσο ήξερε, δεν τον εξυπηρετούσε το μετρό. Έκανε ότι δεν τον έβλεπε. Αλλά κι αυτός, ήταν απολύτως σίγουρη, απέφευγε να κοιτάξει προς το μέρος της. Καλύτερα. Το αρχοντικό του πατέρα του είχε γίνει από χρόνια πολυκατοικία. Ούτε γιασεμιά, ούτε καγκελόπορτα, και η φιλία τους προ πολλού εξανεμισμένη. Και το Σηφάκι το μισερό, το άχρηστο, ο μπελάς της μάνας του, νά το που σήμερα τη γηροκομεί, εφόσον τα γερά παιδιά της, τα καλά, τα προκομμένα, την απόρριξαν στο χαλόσπιστο, κι έμεινε μοναχό του να μπουγαδιάζει τα κατουρημένα της γριάς και να βράζει πατάτες για να τρώνε.

Κάνουν κύκλο κι επανέρχονται οι εικόνες, ας απαλύνονται όλα με τον καιρό κι ας ξεθωριάζουν, δεν ξεχνιούνται, ούτε και ο Καζαντζάκης, ο μέγας παρηγορητής, στο μακό μπλουζάκι στάμπα, αν και ο Γάιος Σαλλούστιος Κρίσπος, ο Λατίνος ιστορικός, το πρωτοείπε πλήρες. Quod mihi a spe, metu, partibus rei publicae animus liber erat: *Γιατί εμένα η ψυχή μου ήταν ελεύθερη από την ελπίδα, τον φόβο, τα Κόμματα.*

94

Και αυτή, ποια θα ήταν σήμερα, αν είχε πατέρα τον δικηγόρο του αρχοντικού που κατεδαφίστηκε για μια εξαώροφη, ευτελή πολυκατοικία; Σκέψου τις Ουκρανές, μονολογεί, τις Ρωσίδες, τις Γεωργιανές, τις Βουλγάρες. Τα σπίτια που άφησαν, τα τοπία. Τα πτυχία που έκαψαν. Και αναλογίσου τις φωτιές που θα καίνε αύριο τα πτυχία των δικών μας παιδιών, ξαναζώντας τον Μακρυγιάννη δαρμένο και ξυπόλυτο να τα βάζει με τον δικό του άγιο και να κλείνει τη δική του μυστική συμφωνία, τα δούναι και τα λαβείν, με μια κοινωνία που σε αλέθει για να συντηρείται και σε αποθεώνει για να σ' έχει.

(2000)

Ρολογάκι χειρός

ΠΑΡΑΜΟΝΕΣ ΧΡΙΣΤΟΥΓΕΝΝΩΝ· επιτακτικά εορ-
ταστικό, επίπλαστα χαρούμενο, μακρόσυρτα
βουερό, όπως κάθε χρόνο, το κέντρο της πόλης. Κι
εκεί που ήταν έτοιμη η μεσόκοπη γυναίκα ν' αρχί-
σει για πολλοστή φορά τις αναλύσεις, ανακυκλώνο-
ντας τα ίδια, σιώπησε μέσα της, ταχύνοντας τον βη-
ματισμό. Πολύξερη κι εσύ, σαν τον πατέρα σου,
άκουσε τη φωνή της μάνας της. Πιστεύεις δεν πι-
στεύεις, *έχνη* που παραδίνονται τα κακορίζικα
στον μακελάρη, άβουλα ζώα θα 'μαστε, αν δεν ήτο-
νε οι μεγάλες εορτές, αν δεν ήτονε τα Χριστούγεν-
να, διότι εγεννήθη ο Μονογενής και μπήκανε όλα σε
μια τάξη. Περιμένουμε τη γέννησή Του κι ασπρί-
ζουμε τα *σπίθια* μας, αλλάζουμε το χαρτί στην πια-
τοθήκη, πλάθουμε τους κουραμπιέδες και τα *μελο-
μακάρουνα*, στρώνουμε τα καλά μας κλινοσκεπά-
σματα, αγοράζουμε και κάνα ρουχαλάκι, το κατά
δύναμη, και πάμε περιποιημένοι στην εκκλησία να
τιμήσουμε τη γέννησή Του, και χάρη στη γέννησή

Του, έχουμε μετά να περιμένουμε τα Πάθη και την Ανάστασή Του, κι έτσι πάει η ζωή μας από Χριστούγεννα σε Λαμπρή.

Κοντοστάθηκε λαχανιασμένη, κι έστησε ασυναίσθητα τ' αυτί, προσηλωμένη δήθεν στη βιτρίνα, προσπαθώντας να καταλάβει τα παράπονα μιας μικρούλας που κλαψούριζε παρακεί, δείχνοντας προς τους απλωμένους στο οδόστρωμα θησαυρούς του μελαμψού μικροπωλητή. Η γυναίκα που συνόδευε τη μικρή έκανε να την τραβήξει, η μικρή αντιστάθηκε. Ξαφνικά η γυναίκα άφησε μια πνιχτή κραυγή. Η μικρή την είχε μόλις κλοτσήσει στο καλάμι του ποδιού. Η γυναίκα έκανε μια κίνηση να τη χαστουκίσει, η κίνησή της όμως κατέληξε σε χάδι στο κεφάλι της μικρής. Απότομα μαλάκωσε, τα γαλάζια μάτια της φωτίστηκαν. Κι άρχισε να παζαρεύει σε σπαστά ελληνικά με τον μικροπωλητή ένα πορτοκαλί ρολογάκι. Η μεσόκοπη απομακρύνθηκε βιαστικά, βουρκωμένη, δεν άντεχε να δει τη συνέχεια.

Έλα, πιάσε μου το χέρι, βοήθα με, έλα, όλο δεν μπορείς, έλα.

Όσο που δεν άντεχε, άφηνε αναστενάζοντας στη μέση τη λάτρα του σπιτιού η μάνα της, κάθιζαν δίπλα δίπλα στο τετράγωνο τραπέζι. Το ριγωτό τετράδιο ανοιχτό, νά και η γόμα, νά και το καλοξυσμένο μολύβι. Και αρχίζανε. Και απορούσε φωναχτά και καμάρωνε η μάνα της, ως τη δευτέρα μόλις

98

του δημοτικού την είχαν στείλει οι γονιοί της, κι απέ την είχανε στο σπίτι δουλικό να τους μεγαλώνει τα παιδιά, και νά την τώρα, με αυτά τα ελάχιστα, δασκάλα τώρα υπομονετική στην κορούλα της. Απορεί και με την όρεξη της κορούλας της να μάθει τα ψηφία, ακόμη δεν επήγε στην πρώτη του δημοτικού και θέλει όλα να τα μάθει, και να μετράει ξέρει και τους αριθμούς αναγνωρίζει, ως και την ώρα στο επιτραπέζιο ρολόι έμαθε, μια φορά τής την έδειξε προ μηνός ο πολύξερος ο πατέρας της, και αμέσως την κατάλαβε.

Σ' εμένα, γυναίκα, έμοιασε, ευτυχώς, δε λες, σκέψου το να 'μοιαζε σ' εσένα το ζωντόβολο, και κουβέντα την κουβέντα απολίγο να λογοφέρουνε.

Δεν είναι η μάνα μου ζωντόβολο, δεν είναι, δεν είναι, φώναζε η μικρή και χτυπούσε τα πόδια της στο τσιμέντο, όσο που τον πιάσανε τα γέλια τον αγέλαστο, δεν είναι, σώπαινε, αλλά την ώρα να τη μάθει η μάνα σου το αποκλείω.

Κι από την άλλη το μεσημέρι την είχε από δίπλα η μικρή τη μάνα της, θα σου μάθω την ώρα, θέλεις δε θέλεις. Και της την έμαθε. Ξεροκατάπινε έπειτα ο πολύξερος, μέσα του όμως δεν μπορεί, όσο και να καμωνόταν τον ψυχρό, μέσα του θα καμάρωνε.

Άντε τώρα κι εγώ, της είπε ένα απόγευμα βροχερό, με τον μεγάλο δείχτη του ρολογιού να δείχνει στο έξι και τον μικρό στο οχτώ, να σε βοηθήσω να πιάνεις το μολύβι, να σου δείξω κι εγώ πώς κάνουνε τα κουλουράκια και τα μπαστουνάκια.

και στα μελομακάρουνα, εγώ θα τα πάω στον φούρνο, θα σε βοηθήσω και στο σιρόπιασμα.

Ανήμερα της εορτής ξεκίνησαν και οι δυο φρεσκολουσμένες για την εκκλησία, τα περσινά επίκαιρα, σκεφτόταν σαρκαστικά, αλλά και με τη σκέψη της στη θρυλική Σταχομαζώχτρα. Ας της είχαν πάρει τα μυαλά ο Καζαντζάκης και ο Καραγάτσης. Ένα θαύμα, σε όλη της τη ζωή, μόνο από τον Παπαδιαμάντη το περίμενε.

Έπειτα κάθισαν στο τραπέζι σιωπηλές. Σαν αποφάγανε, τρεμούλιασε ελαφρά το πιγούνι της μάνας κι έβγαλε με συστολή από την τσέπη της μαύρης φανελένιας ρόμπας ένα μικρό κουτάκι δεμένο σταυρωτά με λεπτή κόκκινη κορδέλα.

Νά το, κόρη μου, το ρολογάκι χειρός που ήθελες. Άνοιξε βουρκωμένη το κουτάκι. Στρογγυλό, χρυσό, ελβετικό, με το καφετί δερμάτινο λουράκι του. Το κούρδισε, το 'βαλε στη σωστή ώρα, το φόρεσε. Κι είδε μεμιάς τον εαυτό της στο θρανίο να σηκώνει το μανίκι της μαθητικής ποδιάς, αλλά με τρόπο, μην την περάσει η διπλανή της, κόρη εισαγγελέως, για καμιά χωριάτα που επιδείχνεται.

Μανούλα μου, μανούλα μου, φώναξε. Και τη φίλησε στο μάγουλο.

Χάζεψε, όσο χάζεψε, τις βιτρίνες, θυμήθηκε όσα μπόρεσε να θυμηθεί, και πήρε έπειτα το μετρό για το σπίτι. Απέναντί της, δυο στάσεις μετά, ήρθαν και κάθισαν η γυναίκα με το κοριτσάκι. Στην αρχή ταράχτηκε. Όχι που θα τη γλίτωνε τη συνέχεια. Αντέχεις δεν αντέχεις, κυρία μου, αυτοσαρκάστηκε, η συνέχεια θα σε ακολουθεί.

Μόγια μάμουτσκα, μόγια μάμουτσκα, ψιθύριζε το κοριτσάκι, έχοντας ακουμπήσει το κεφάλι στον ώμο της γυναίκας, καμαρώνοντας το πορτοκαλί ρολογάκι στον δεξή καρπό.

Μανούλα μου, μανούλα μου, φώναζε και η μεσόκοπη έπειτα από σαράντα πέντε χρόνια, όταν την πήραν τη μάνα της τυλιγμένη σ' ένα σεντόνι και την κατέβασαν από το διαμέρισμα οι δυο του γραφείου κηδειών.

Κάτι ρώτησε η γυναίκα το κοριτσάκι, χαϊδεύοντάς το τρυφερά στο κεφάλι.

Έξι παρά είκοσι, είπε το κοριτσάκι.

Έξι παρά είκοσι, επανέλαβε η γυναίκα συλλαβιστά.

Στην επόμενη στάση η μεσόκοπη έπρεπε να κατεβεί. Λίγο πριν σηκωθεί, χαϊδεύοντας τη μικρή στο μάγουλο, έκανε να ευχηθεί *Καλά Χριστούγεννα*, αλλά δεν είχε φωνή. Χαμογέλασε μόνο, και η ξανθιά, ωραία γυναίκα τής ανταπέδωσε θλιμμένη το χαμόγελο.

(2007)

σταινόταν; Πώς αλλιώς, όμως, θα χρωμάτιζε με τον τρόπο της τη μαθητική ομοιομορφία; Πώς αλλιώς θα ξεχώριζε; Ήταν βεβαίως και το άλλο. Πώς θα κάλυπτε τις φθαρμένες, μονίμως λεκιασμένες από τον ιδρώτα της, μασχάλες της ποδιάς; Μόνο αυτό; Ή μήπως ήταν, το κυριότερο, που δεν είχε άλλο τρόπο να κρύψει κάπως το στήθος της; Όσο θυμάται την εφηβεία της, με το σφίξιμο του στηθόδεσμου τη θυμάται. Να λαχταράει για ένα εξώπλατο, ένα αμάνικο, ένα φουστανάκι καλοκαιρινό με τιράντες, και να μην μπορεί. Κι ας καμάρωναν οι άλλες με το πλουσιότατο στήθος τους, αυτή ποτέ. Αφέθηκε στο λευκό, πικεδένιο γιακαδάκι. Κι αυτό το θυμάται. Μέρα παρά μέρα η ίδια το τρύπωνε φρεσκοπλυμένο επάνω στον γιακά της ποδιάς. Κι έπρεπε, εάν ήθελε να το τρυπώσει και σιδερωμένο, να πυρώσει πρώτα με κάρβουνα το σίδερο. Θυμάται τον καπνό που την έπνιγε όσο ν' ανάψουν τα κάρβουνα, τα δάκρυά της. Και τη μουρμούρα της μάνας της: Για έναν γιακά τόση σπατάλη! Δες, της έδειχνε, τυλίγεις με προσοχή τον γιακά σου σ' ένα άσπρο πανί, βάζεις το πανί στην καρέκλα, κάθεσαι που κάθεσαι και διαβάζεις, αν μείνεις δυο τρεις ώρες επάνω του, έχεις το καλύτερο σιδέρωμα.

Ήταν μια ωραία χοντροκόκαλη μεγαλοκοπέλα, με σαρκώδη χείλη, α λα γκαρσόν κούρεμα, η καθηγήτρια των οικοκυρικών στη δευτέρα τάξη γυμνασίου. Αποφασισμένη να μάθει σε όλες τα απαραίτητα: Το γαζί χειρός, το καρίκωμα, το τρύπωμα, το μαντάρισμα, το ψαροκόκαλο, πώς να γυρίζουν ένα στρίφωμα, πώς ν' ανοίγουν μια κουμπότρυπα. Θα μ' ευγνωμονείτε, κάποτε, τους έλεγε, τι θαρρείτε; πως θα 'χετε δίπλα σας μονίμως τη μάνα σας ή πως ο πρίγκιπας των ονείρων σας θα πληρώνει δούλες για να σας υπηρετούν; Και δεν ήταν λίγες οι φορές που έπρεπε να ξενυχτήσει, εν μέσω χρονικών αντικαταστάσεων και άλυτων προβλημάτων, προκειμένου να ετοιμάσει στο λευκό πανάκι την κουμπότρυπα. Ήταν και η μάνα της που αρνιόταν πεισματικά να τη βοηθήσει. Αύριο, μεθαύριο κάνεις οικογένεια, επέμενε, πώς θα ράβεις ένα κουμπί; πώς θα μαντάρεις ένα ρούχο; Άλλο το κουμπί, παραπονιόταν, άλλο η κουμπότρυπα, σε παρακαλώ, το κουμπί μπορώ να το ράψω, η κουμπότρυπα είναι δύσκολη. Ανένδοτη όμως η μάνα της. Και την επομένη, θα την ειρωνευόταν πάλι για την ατζαμοσύνη της η δύστροπη οικοκυρικού. Δες, θα της έλεγε, την κουμπότρυπα που άνοιξε η Β., πρόσεξε επιδεξιότητα! Τι να προσέξω; θα 'θελε να της πει, αλλά θα 'σκυβε για άλλη μια φορά το κεφάλι, τι να προσέξω; εφόσον η Β. έχει τη χρυσοχέρα, την κεντήστρα τη μάνα της.

Και τι κάνει στη φωτογραφία που έχει μπροστά της; Ποζάρει; Ο τρόπος που κρατάει το στιλό, με τα δυο μόνο δάχτυλα, ήταν το κουσούρι της και είχε φάει ξύλο γι' αυτό. Ξύλο πολύ είχε φάει, μιας κι ήταν αριστερόχειρ, και όσο να μάθει να γράφει με το δεξί. Αλλά δεν ήταν μόνο το ξύλο. Ήταν και ότι ποτέ δεν μπόρεσε να γίνει γρήγορη στο γράψιμο. Ήταν και ότι ποτέ δεν απέκτησε σταθερότητα ο γραφικός της χαρακτήρας. Από το ένα άκρο στο άλλο. Τα ωραία καλλιγραφικά της από τη μια, τα στραβοκάνικα ανορθόγραφά της από την άλλη. Και πάντα καθυστερημένη. Πάντα με τη γομολάστιχα να διορθώνει. Πάντα με το χρατς της μουντζουρωμένης σελίδας που έπρεπε να σκιστεί. Τα πενηντάφυλλα τετράδια που κατέληγαν δεκάφυλλα. Οι προσβολές έπειτα, τα περιπαίγματα. Οι απειλές του πατέρα της ότι θα μείνει χωρίς τετράδιο, αν δεν συμμορφωθεί. Κι εδώ, στη φωτογραφία, τι κάνει; Υποδύεται ότι γράφει; Το στιλό το είχε δανειστεί. Και τα γυαλιά ηλίου, το θυμάται πολύ καλά, δανεικά ήταν. Υποδύεται, λοιπόν, ότι γράφει με δανεικό στιλό και με δανεικά γυαλιά ηλίου; Τι μπορεί να σημαίνει αυτό; Τι ήθελε να υποδηλώσει εκεί, στο προτελευταίο θρανίο; Ότι είναι αυτή που είναι, αλλά ότι θα ήθελε να φαίνεται ότι είναι και κάποια άλλη; Για να κρύψει, ή μήπως για να υπαινιχτεί τι; Κι αν όλα αυτά είναι εκ των υστέρων φληναφήματα; Αν δεν υπάρχει πίσω απ' όλα αυτά τίποτα περισσότερο από μια κοριτσίστικη κοκεταρία; *Κορίτσια ο Μπάρκουλης!* Ποια ήταν τα λαϊκά περιοδικά που έδιναν τον τόνο της εποχής; «Θεατής», «Φαντασία», «Ντομινό»; Διαβάζει τη λεζάντα με τα δικά της γράμματα: *Σήμερα τέλος.* Με πολλά αποσιωπητικά. Και θα πρέπει να ήταν μια λυπημένη ξανθιά εκείνο τον Ιούνιο.

Μελαχρινή, σγουρομάλλα, γλυκομίλητη, σχεδόν θωπευτική, η καθηγήτρια των θρησκευτικών. Με το γκρίζο ή το καφετί ταγεράκι. Πάντα ως τη μέση της γάμπας η φούστα. Και η γάμπα λεπτή κάτω, φουσκωτή πιο ψηλά: ανάποδο λαμπόγυαλο. Η νάιλον φιμέ κάλτσα με ραφή, και πάντοτε αλφαδιασμένη, πίσω. Γόβα απαραιτήτως ταιριαστή με το χρώμα του ρούχου. Μαύρη ή καφέ, τελατίνι συνήθως, τακουνάκι τρεις τέσσερις πόντους. Με τη λεπτή αλυσίδα και το χρυσό σταυρουδάκι στον λαιμό. Ανύπαντρη. Και περνούσαν όλες τους αβίαστα, από χρονιά σε χρονιά, τις τάξεις. Προς τον χειμώνα της ογδόης, παντρεύτηκε τον ανοικονόμητο φυσικό. Λίγο πρασινάκι, λίγο ροζάκι στα πουκάμισά της, αλλά το γκρίζο και το καφετί, πάντα εκεί, συναγωνίζονταν ζηλόφθονα για την πρωτοκαθεδρία. Κι άρχισε αποτόμως η γλυκομίλητη θεούσα να αγριεύει. Αν τις έπιανε αδιάβαστες, δεν το 'χε σε τίποτα να τις κάνει σκουπίδι.

Αρχές Ιουνίου ήταν. Και την είχε σύρει από το μανίκι έξαλλη δευτεριάτικα στο γραφείο του διευθυντή. Πήγαινε η καρδιά της να σπάσει, έπρεπε όμως κάτι να βρει, μια δικαιολογία. Χτύπησε, λέει, στο κεφάλι, Παρασκευή απόγευμα, στο παραθυρόφυλλο του σπιτιού, έβαλε λίγο οξυζενέ με μπαμπακάκι στον καρούμπαλο, δυστυχώς ξάνοιξαν εκεί πολύ τα μαλλιά, δεν γινόταν μετά να είναι με μια τούφα μόνο ξανοιγμένη, λούστηκε με οξυζενέ και χαμομήλι και κάθισε στον ήλιο ώσπου να τα φέρει όλα σ' ένα κάπως ομοιόμορφο ξανθό. Η θεούσα την κοίταζε οργισμένη. Πού τα επινόησε όλα αυτά; Πώς είναι δυνατόν να τους κοροϊδεύει τόσο ξεδιάντροπα; Δείξε μας τον καρούμπαλο! απαίτησε. Ο διευθυντής όμως χαμογελούσε. Άντε, πήγαινε, της είπε, και της έδειξε την πόρτα, σαν να 'θελε να την προστατέψει, τσιμπώντας την ελαφρά, σχεδόν χαϊδεύοντάς τη, στο μάγουλο.

Βγήκε από το γραφείο σαν δαρμένο σκυλί. Την είχε ενοχλήσει πολύ το χαμόγελο του διευθυντή. Και ακόμη πιο πολύ την είχε πειράξει το άγγιγμά του. Μέσα της είχε πικρά μετανιώσει. Κι ούτε είχε τον τρόπο, πού βαφές, πού κομμώτριες εκείνα τα χρόνια στη μικρή πόλη, να διορθώσει αμέσως το λάθος της. Για μια δυο βδομάδες αμίλητη, ντροπιασμένη. Διότι και οι άλλοι καθηγητές τη στραβοκοίταζαν. Τι πίστεψες, ζώον, ότι με το οξυζενέ θα γίνεις η ξανθιά της διαφήμισης; την είχε ειρωνευτεί και ο στριμμένος φιλόλογος, ο Agricola. Ακόμη και οι συμμαθήτριες, ακόμη και οι φίλες της, σχολίαζαν χαιρέκακα το ξάνθισμα. Ακόμη και οι γείτονες. Και τα παιδιά στον δρόμο: Ξανθόμαλλη, ξανθομαλλού, ξανθούλα! Και μόνο η μάνα της ατάραχη. Τι σκας; εφόσον ξανθιά είσαι, μη βλέπεις που με τον καιρό σκουρύνανε τα μαλλιά σου κι έγινες καστανόξανθη, *μικρή ήσουν ολόξανθη, σαν Βόρεια. Ώσπου το πήρε απόφαση. Θα μακραίνουν, θα τα κόβει, και θα επανέλθουν σε λίγους μήνες στο φυσικό τους.* Να τελειώσει μόνο σε δυο βδομάδες το σχολείο, να γλιτώσει επιτέλους από το βλέμμα της θεούσας. Την είχε πλησιάσει σ' ένα διάλειμμα να της ζητήσει ψιθυριστά συγγνώμη για την απερισκεψία της. Πιστέψτε με, σας παρακαλώ, ούτε που το κατάλαβα πώς έγινε. Και την είχε περιγελάσει η θεούσα. Κατά βάθος σε λυπάμαι, πρόσεξε, της είχε πει, κάνοντας κάτι και με το δάχτυλο, σαν να της έδειχνε την κατηφόρα τη μεγάλη. Κι ήρθε η πολυπόθητη μέρα. Επί ποδός όλες της ογδόης για την πατροπαράδοτη, αποχαιρετιστήρια φωτογράφιση. Έχει αρκετές φωτογραφίες από εκείνο το μεσημέρι. Φύρδην μίγδην σε μια χαρτόκουτα με πολλές άλλες μαθητικές. Κι ούτε που θα της έλεγαν τίποτα πια, αν δεν είχε να τις συνδέει μ' εκείνο το δευτεριάτικο πρωινό και το μνησίκακο δωδεκάρι στα θρησκευτικά που της είχε χαλάσει τη γενική βαθμολογία στο απολυτήριο.

Δέκα χρόνια αργότερα η θεούσα φαρμακώθηκε. Αλλά πριν, πρόσεξέ το, της έλεγε σκανδαλισμένη μια συμμαθήτρια, πίνοντας τον καθιερωμένο αυγουστιάτικο καφέ τους στην αγαπημένη τους πλατεία, την έπιασε επ' αυτοφώρω ο άντρας της εν ώρα δράσης με τον εραστή στο κρεβάτι. Το διανοείσαι; Και την έδιωξε πάραυτα από το σπίτι. Τον θυμάσαι καθόλου τον ανοικονόμητο τον φυσικό μας;

Πώς περπατούσε σαν καμήλα; Πώς κουνούσε ο δυστυχής τα χέρια του; Όσο για τη θεούσα, έζησε δυο χρονάκια σκάρτα με τον φίλο της, δακτυλοδεικτούμενη, ήταν και πολύ νεότερός της, είχε αρχίσει και να την κακομεταχειρίζεται, τι εισαγωγέας κρεάτων; χασάπης, πες, και τη μακέλευε, κυκλοφορούσε ασύστολα, είπαν, και με διάφορα πιπίνια ο γκομενάκιας, οπότε έδωσε κι αυτή τέλος στη ζωή της!

Προσέχει τις γαλαζοπράσινες διακλαδώσεις στις φλέβες των χεριών της που διαγράφονται πιο έντονες απ' ό,τι συνήθως. Βουρκωμένη, κι ας μην της φταίει κανείς. Να κλάψει, να μην κλάψει; Τι παράπονο έχει; Γιατί οι άλλοι γύρω της χαίρονται ή λυπούνται, σαν άνθρωποι κι αυτοί, αλλά με μέτρο, και πάντοτε με την ικανοποίηση στο βλέμμα, με την αυταρέσκεια; Με το εγώ τους παρφουμαρισμένο, ανοικονόμητο, σεινάμενο και κουνάμενο και πάντοτε αθώο το εγώ τους, προσέξτε με! Σ' αυτήν τι συμβαίνει; Μια χαρά φιλική δεν της είχε φανεί προ ολίγου η μέρα; Τι άλλαξε στο μεταξύ, τι μεσολάβησε, τι την πείραξε; Και πώς κατέληξε να βλέπει πάλι τα καμένα στην Πάρνηθα, τα καμένα στην Ηλεία; Να αισθάνεται το ρουθούνισμα της παγιδευμένης χελώνας, την απόγνωση του κυκλωμένου ελαφιού. Και την κραυγή του ανθρώπου που τον γλείφουν οι φλόγες. Πόσες φωτιές είχαν ανάψει το προπέρσινο καλοκαίρι, με τον στρατηγό άνεμο επί ποδός να δίνει κεφάτος το πρόσταγμα απ' άκρη σ' άκρη στη χώρα; Πόσες άναψαν πέρσι, πόσες θ' ανάψουν κι εφέτος όσο να φθινοπωριάσει; Ρίχνει μια τελευταία ματιά στη μοναξιά της φωτογραφίας. Υποδύεται, λοιπόν, ότι γράφει με δανεικό στιλό και με δανεικά γυαλιά ηλίου στο προτελευταίο θρανίο, τελευταία μέρα στο σχολείο. Αλλά το πρόχειρο τετράδιο ήταν δικό της. Το θυμάται πολύ καλά αυτό. Προσέχει την άγραφη σελίδα. Έχουν, επομένως, και οι θεούσες τα λάθη τους περιουσία. Έχουν κι αυτές τα πάθη τους ταφόπλακα. Ή μήπως δόξα; Χώνει βιαστικά τη φωτογραφία στη χαρτόκουτα, παρέα με τις άλλες μαθητικές. Σηκώνεται και την τοποθετεί στη θέση της στο χαμηλό βαθύ ράφι της βιβλιοθήκης. Όρθια έπειτα στην μπαλκονόπορτα, περιμένοντας το πέταγμα του κιτρινομύτη κότσυφα από κλαδί σε κλαδί στον διπλανό κήπο.

Κι εκείνο το λευκό μπλουζάκι με τα πουά που κρέμεται στο πίσω θρανίο της ασπρόμαυρης φωτογραφίας; Ποιανής ήταν και πώς ξέμεινε για πάντα εκεί κρεμασμένο;

(2009)

Εις το βουνό ψηλά εκεί

ΉΜΟΥΝ ΣΤΑ ΔΕΚΑ, ανήμερα, θυμάμαι, των γενεθλίων μου, όταν μου χάρισαν οι γονείς μου τον φορητό «Βρασίδα». Και τον έχω έκτοτε κρεμασμένο πάντα στον λαιμό μου. Ο καλύτερός μου φίλος, το πειθήνιο κατοικίδιο, το αφοσιωμένο, μαζί παντού, να με ακούει και να με ανέχεται. Αν και απαρχαιωμένος πια, ικανοποιεί αλάνθαστα τις ανάγκες μου.

Κάποτε είχαν ως κατοικίδια στα σπίτια τους οι άνθρωποι γάτες, σκυλιά, πουλιά και άλλα ζώα. Πριν από πολλά χρόνια όμως τα οδήγησαν όλα σε κλιβάνους. Είχε αποδειχτεί, όπως είπαν, ότι ήταν φορείς επιδημικών ασθενειών.

Εάν δεν είχα πάρει την απόφασή μου, θα 'πρεπε μεθαύριο να παρουσιαστώ πρώτη μέρα στο Υπουργείο. Περιχαρής για τη δουλειά, το μέλλον, την τύχη μου. Έτσι θα 'πρεπε. Αλλά εγώ αλλιώς τα έχω σχεδιάσει. Με τον πιστό «Βρασίδα» στον λαιμό μου να σιγοβράζει.

115

Μας ξεναγούν ακόμη και σήμερα στο Κέντρο Αδιάπτωτης Επαγρύπνησης. Στις δώδεκα παρά τέταρτο θα εμφανιστεί ο Μεγάλος Εκφωνητής για το καθιερωμένο διάγγελμα. Τότε θα τους αναγγείλω κι εγώ ανυποχώρητη την απόφασή μου.

Στα παλιά χρόνια η τηλεόραση ήταν προαιρετική. Πατούσες, λέει, ένα κουμπί και έβλεπες, αν ήθελες, μιαν εκπομπή. Στις ημέρες μας ανοίγει και κλείνει το κύκλωμα από το Κέντρο Καθοδήγησης με το οποίο συνδέονται όλες οι κατοικίες και ο κάθε πολίτης είναι υποχρεωμένος να παρακολουθεί όλες τις εκπομπές. Πριν και μετά από κάθε εκπομπή τις καθημερνές, ο Μεγάλος Εκφωνητής, στο ημίφως πάντα, μας καθοδηγεί.

Σε αντίθεση με τις καθοδηγητικές φωνές του παρελθόντος, η φωνή του Μεγάλου Εκφωνητή είναι θωπευτική, νανούρισμα στ' αυτιά μας. Τον τελευταίο καιρό, μας νουθετεί ψιθυριστά −και είναι σαν να εισχωρεί και να κυλάει η φωνή του στο αίμα μας− ότι πρέπει να αποφεύγουμε τις συχνές μετακινήσεις. Μας αποκαλεί παιδιά του και όταν έχει καλή διάθεση μας διαβάζει περικοπές από τη Βίβλο που ο ίδιος έχει γράψει.

Άλλοτε συμφωνούσα με τους γονείς μου, οι απόψεις τους ήταν και δικές μου απόψεις. Συμμεριζόμουν τις προτιμήσεις τους, τους θαύμαζα. Με τον καιρό, ούτε κατάλαβα πώς, άρχισαν να μου φαίνονται άβουλα, ψοφοδεή πλάσματα, όπως και όλοι γύρω μου. Πρόθυμοι πάντα να αφεθούν με ευγνωμοσύνη στα χαϊδολογήματα του Μεγάλου Εκφωνητή. Ανέκαθεν οι άνθρωποι υπάκουαν σε ό,τι έλεγαν οι εκφωνητές. Διατηρούσαν όμως και κάποια επιφύλαξη· διαφωνούσαν ενίοτε και αντιδρούσαν στις διατάξεις. Συνέβαινε, ακόμη, ορισμένοι νόμοι που θεωρούνταν άδικοι να ακυρώνονται, επειδή κανείς πολίτης δεν τους εφάρμοζε.

Στην πλειοψηφία τους σήμερα οι πάντες έχουν αποδεχτεί τα πάντα· είναι, λέει, ώριμοι και συνειδητοί πολίτες του Διακρατικού Οίκου. Ο παππούς μόνο, αν και τόσο ανήμπορος, πεισματώνει καμιά φορά και αντιδράει. Ο πατέρας χαμογελάει με συγκατάβαση. Ο παππούς συνεχίζει για λίγο να ρητορεύει. Αλλά συνήθως μένει με το κεφάλι σκυφτό στην πολυθρόνα και περιμένει με ανυπομονησία την ώρα του φαγητού. Συχνά τον επιπλήττει η μητέρα. Εσύ, του λέει, έχεις λιγότερες καύσεις, προς τι, επομένως, η τόση όρεξη και η τόση βουλιμία, εφόσον δεν σου αναλογούν περισσότερη από εκατό γραμμάρια τροφή συν πέντε χαπάκια;

Εις το βουνό ψηλά εκεί, είν᾽ εκκλησιά ερημική, μουρμουρίζει συνωμοτικά ο παππούς ένα παμπάλαιο σχολικό ποιηματάκι από τα χρόνια, λέει, της προγιαγιάς του. Έπειτα, σαν να θυμάται κάτι δυ-

κάποτε αυτά τα νερά δεν ήταν μαύρα και πηχτά. Μιλούν για ξανθή άμμο και βότσαλα στις παραλίες, για ηλιόλουστες μέρες, για ουρανό. Τοπία παράξενα που τα βλέπω σε πίνακες ζωγραφικής και σε εικονογραφημένα παμπάλαια βιβλία. Πολύ φοβάμαι ότι κι εγώ ζω με φαντάσματα. Ήρωες, άπαρτα βουνά, ψιθυρίζω χωρίς να ξέρω τι εννοώ. Υπάρχει πάντα αυτή η τάση να ωραιοποιείται το παρελθόν. Εάν όμως μελετήσει κανείς τον περασμένο αιώνα και το πρώτο τέταρτο του εικοστού πρώτου, θα διαπιστώσει ότι τα πράγματα δεν ήταν και τόσο ρόδινα όσο θέλουν να τα παρουσιάζουν οι νοσταλγοί.

Διακοπή της καθιερωμένης ξενάγησης για την καθιερωμένη διαφήμιση. Νεοεισαχθείς ψεκαστήρας τσέπης με οξυγόνο αυστριακό. Στοιχίζει πάμφθηνα και διαρκεί μια βδομάδα. Η χρήση του είναι πολύ απλή. Η μητέρα σχολιάζει για άλλη μια φορά τα θαύματα της σύγχρονης τεχνολογίας. Θυμήσου, λέει για άλλη μια φορά στον πατέρα, την εποχή που ήμαστε υποχρεωμένοι να φορτωνόμαστε τις δίκιλες και τις πεντάκιλες φιάλες. Απίστευτο! Η ωραία παρουσιάστρια εφαρμόζει με χάρη τον κομψό ψεκαστήρα στα τρυφερά πτερύγια των ρουθουνιών της και εισπνέει χαμογελαστή.

Ο παππούς δεν συμμερίζεται, όπως και χθες, τον ενθουσιασμό της μητέρας. Σε τι υστερεί το οξυγόνο του Παρνασσού ή της Γκιόνας; Τι το θέλουμε το εισαγόμενο; Ο πατέρας τού υπενθυμίζει ότι το οξυγόνο του Παρνασσού και της Γκιόνας βρίσκεται υπό την κατοχή των αντιρρησιών και ότι το υπόλοιπο εγχώριο οξυγόνο έχει προ πολλού εξαχθεί. Γιατί το εξάγουμε; επιμένει ο παππούς, για να υποχρεωθούμε μετά να καταφύγουμε στο εισαγόμενο; Ο πατέρας χαμογελάει με τη γνωστή συγκατάβαση.

Το γνωρίζει καλά ο παππούς, έστω και αν ως πρώην παραδοσιακός αντιρρησίας αναμασάει από συνήθεια τα ίδια και τα ίδια, ότι για τις εξαγωγές και τις εισαγωγές αποφασίζει ο Διακρατικός Οίκος και όχι εμείς.

Εμφανίζεται την καθορισμένη ώρα, στο ημίφως πάντα, ο Μεγάλος Εκφωνητής. Αυτομάτως χαλαρώνουν, σαν υπνωτισμένοι, και οι τρεις. Προσηλώνονται στην οθόνη. Ακόμη κι εγώ ναρκώνομαι κάπως. Έπειτα από τις καθιερωμένες και αναμενόμενες πρωτοχρονιάτικες ευχές, με τη βελούδινη φωνή του μας αναγγέλλει το χαρμόσυνο ότι οι καταδιωκτικές δυνάμεις μπόρεσαν να κυκλώσουν τους αντιρρησίες του Παρνασσού και της Γκιόνας. Τους συνέλαβαν όλους και τους αποκεφάλισαν. Από αύριο θα εκτίθενται οι κεφαλές τους στις οθόνες μας. Όχι μόνο για να τους αναγνωρίσουν οι δικοί τους και να παραιτηθούν πλέον από κάθε ελπίδα ότι θα μπορούσαν να τους ξαναδούν, αλλά και για να γνωρίζει καλά στο μέλλον ο καθένας τι ακριβώς τον περιμένει, αν διανοηθεί ποτέ να αμφισβητήσει την αρμονία του παρόντος πολιτικού συστήματος. Η καρδιά μου χτυπάει δυνατά. Προς στιγμήν απελπίζομαι. Ο «Βρασίδας» στον λαιμό μου σιγοβράζει συγχυσμένος. Μην απελπίζεσαι, γουργουρίζει, εμείς θ' ανεβούμε στη Ζήρεια. Απόρησα με την ένταση και το σθένος της φωνής μου. Ταλαιπωρείς τα πνευμόνια σου, ψιθύρισε η μητέρα. Και η δουλειά σου; ρώτησε πνιχτά ο πατέρας, φίλησα κατουρημένες ποδιές για να σου εξασφαλίσω αυτήν τη θέση στο Δημόσιο, κι εσύ, αντί να μ' ευγνωμονείς, θ' ανεβείς στο βουνό; Και σε ποιο βουνό, παρακαλώ; δεν άκουσες; πού θα ανεβείς; Αφήστε την, είπε δύσπιστα, με τη φαρμακίλα του να ξεχειλίζει, η παλαιά καραβάνα ο παππούς, κάπου θα βρει ν' ανεβεί, τόσες κορφές έχουμε, αφήστε την, πόσο θ' αντέξει; Τους προσπερνώ και χάνομαι στη Ζήρεια· ανηφορίζω και σκέφτομαι τι καλό που είναι να ανηφορίζεις.

Ποια σχέση θα μπορούσαν να έχουν μ' αυτήν όλα τούτα τα τετριμμένα οργουελικά; Όρθια στην μπαλκονόπορτα, σαν να ξυπνούσε από λήθαργο, με τα σωματίδια της αιθαλομίχλης από τα καμένα στην Πεντέλη να στροβιλίζονται έξω, τον κότσυφα στη μουριά του διπλανού κήπου ανάστατο και με τον πειθήνιο υπολογιστή της να σιγοβράζει.

(1994)

124

Μεσημέρι στο Τολέδο

ΜΙΑ ΩΡΑ ΠΕΡΙΠΟΥ νοτιοδυτικά της Μαδρίτης. Είχε αποσπαστεί από τους συνεπιβάτες του λεωφορείου. Χωρίς φωτογραφική μηχανή, χωρίς τουριστικό οδηγό, χωρίς μπλοκάκι για καμιά σημείωση, τα τυπικά έστω: πήγα εδώ, είδα αυτό, πρόσεξα το άλλο. Μόνο με την αλαζονεία της μνήμης στη γέφυρα Αλκαντάρα. Διψούσε και κοίταζε νοσταλγικά τα πρασινόμαυρα νερά του ποταμού. Στενός και πηχτός ο Τάγος, σαν ακίνητος. Κανείς Ηράκλειτος εδώ δεν θα μπορούσε να σκεφτεί τα *πάντα ρει*, διότι τα πάντα εδώ λιμνάζει· ούτε πνοή ανέμου εκείνο το κυριακάτικο μεσημέρι. Πότε ήταν; 1979; 1980; Δεν καλοθυμάται. Θυμάται όμως πώς ήταν. Με την καφέ υφαντή φούστα από τη Λίνδο, το κόκκινο μακό μπλουζάκι από την Αιόλου, ιδρωμένη, κόκκινο με καφέ, και με τα καφετιά σανδάλια από το Μοναστηράκι, καλοκαίρι, χωρίς γυαλιά ηλίου, στο Τολέδο. Μνημείο αραβοχριστιανικό και εβραϊκό. Πόσα λάβαρα και διακριτικά και πόσα οικόσημα και πόσα γεράνια στα μπαλκόνια, σπίτια σαν κάστρα και σαν μουσεία, αλλά και σπίτια χαμηλά στα πλακόστρωτα καλντερίμια. Στεκόταν γοητευμένη και αναποφάσιστη· θ' άρχιζε από το σπίτι του Θεοτοκόπουλου ή από τον Καθεδρικό;

Την πλησίασε ένας ξανθός γεροδεμένος, μάλλον ψηλός, στρογγυλοπρόσωπος, πλατύ μέτωπο, σχεδόν φαλακρός, με γελαστά, καλοσυνάτα εκ πρώτης όψεως, πράσινα μάτια. Τη ρώτησε στα ισπανικά αν μπορεί να τη βοηθήσει. Του αποκρίθηκε στα ιταλοϊσπανικά της ότι τον ευχαριστεί πολύ, αλλά δεν χρειάζεται, κι άρχισε να ανηφορίζει. Αυτός επέμενε. Τη ρώτησε από πού είναι και χωρίς να δείξει καμιά απολύτως έκπληξη, το αντίθετο μάλιστα, τις συμπατριώτισσες τις ξεχωρίζει εδώ και χρόνια με την πρώτη, τον τραβάει, ως φαίνεται, το αίμα, πέρασε ακάθεκτος στις συστάσεις. Έλληνας κι αυτός, Ρουμελιώτης, από το ηρωικό Μεσολόγγι. Έστω κι αν την είχε ενοχλήσει με την επιμονή του, πιο πολύ την ευχαριστούσε το γεγονός ότι θα μιλούσε επιτέλους ελληνικά· θα το λέει και δεν θα την πιστεύουν!

Ανηφόριζε, ενώ δίπλα της, λίγο πιο πίσω αυτός, είχε αρχίσει κιόλας την ξενάγηση. Το σπίτι του Θεοτοκόπουλου βρίσκεται, θα το ξέρετε βέβαια, στην ιουδαϊκή συνοικία, εκεί όπου είχε ζήσει με τους αμύθητους θησαυρούς του ο παντοδύναμος Σαμουήλ Λεβί. Έχετε ακούσει την ιστορία του Λεβί; Ήταν, λοιπόν, ο βαθύπλουτος Ιουδαίος Λεβί στην υπηρεσία του Ισπανού βασιλιά, ώσπου ο Ισπανός βασιλιάς τον φθόνησε και του άρπαξε εκατόν είκοσι πέντε κιβώτια χρυσόπαστα και μεταξωτά υφάσματα, χρυσό και άργυρο και κοσμήματα και ογδόντα Μαυριτανούς σκλάβους. Αλλά δεν χόρτασε ο άπληστος μονάρχης, ήθελε κι άλλα. Έπιασε τον Ιουδαίο, τον φυλάκισε και διέταξε να τον βασανίσουν, μέχρι να ομολογήσει πού έχει κρυμμένο τον θησαυρό του. Ο Ιουδαίος δεν ομολόγησε και πέθανε με φρικτά βασανιστήρια. Αργότερα βρήκαν στο μέγαρό του τρεις σωρούς χρυσάφι και ασήμι στο μπόι ανθρώπου. Επειδή όμως από αιώνες η ζωή διδάσκει ότι τα πλούτη είναι ανώφελα σ' αυτόν τον μάταιο κόσμο και ότι, αν μάχαιραν έδωσες, με μαθηματική ακρίβεια μάχαιραν θα λάβεις, έπειτα από λίγο καιρό, εκείνος ο αχόρταγος βασιλιάς, ο Πέτρος ο Ωμός, όπως τον έλεγαν, πέθανε μαρτυρώντας στη φυλακή, αιχμάλωτος του αδελφού του Ερρίκου.

Καλές οι ιστορίες, ήθελε να του πει, αλλά θα μπορούσε να τις βρει και στα βιβλία, αυτή, αν έφτασε με τόση λαχτάρα ως εδώ, για τον Δομίνικο Θεοτοκόπουλο έφτασε, να δει πού έζησε, τι έβλεπαν τα μάτια του σ' αυτόν τον κατάξερο τόπο. Και σκεφτόταν το Φόδελε με το ποτάμι και τις μυρτιές, τους Θεοτόκηδες της Πόλης που πήραν των ομματιών τους μετά την Άλωση, άλλοι για την Κέρκυρα, άλλοι για τη βενετοκρατούμενη Κρήτη.

Δεν χόρταινε να κοιτάζει γύρω της· αυτός μιλώντας, αυτή ακούγοντάς τον με προσποιητό ενδιαφέρον, μα τι κάνει τώρα, σκεφτόταν, καμάκι α λα ισπανικά; Θα μπορούσε ίσως να τον διακόψει, να τον ρωτήσει κάτι κοινότοπο, με τι ασχολείται, ας πούμε, πού ζει; Την πρόλαβε· αγαπά το Τολέδο και το επισκέπτεται συχνά, ζει από χρόνια στη Μαδρίτη, η γυναίκα του είναι Ισπανίδα. Της πρότεινε να καθίσουν για ένα δροσιστικό. Του αποκρίθηκε σχεδόν αυστηρά ότι σε δυο ώρες φεύγει το λεωφορείο της και δεν είδε ακόμη τίποτα. Κανένα πρόβλημα, την καθησύχασε, κάτω, και της έδειξε με το χέρι, έχει παρκάρει το αυτοκίνητό του, στη Μαδρίτη δεν μένει; σε ποιο ξενοδοχείο; Για φαντάσου, δίπλα τους. Το βράδυ είναι καλεσμένη, να γνωρίσει και την οικογένειά του. Τον κρυφοκοίταξε. Εντάξει, μια κόκα κόλα θα την έπινε. Έκανε να την αγγίξει στον ώμο. Αυτή τραβήχτηκε με τρόπο, σαν να παραπάτησε. Θέλει προσοχή εδώ, εύκολα μπορεί κανείς να βρεθεί φαρδύς πλατύς στο πλακόστρωτο. Την έσφιγγαν κάπως και τα λουριά στα σανδάλια. Φτάσαμε, της είπε έπειτα από λίγο, ιδού, βρισκόμαστε στην ιστορική πλατεία της πόλης, την Πλατεία Θοκοδοβέρ. Πρόσεξε τον ιδρώτα που έτρεχε στους κροτάφους του. Μια χειρονομία, αν ήθελε στ' αλήθεια να τον γοητεύσει, αλλά δεν ήθελε, να του προσφέρει χαρτομάντιλο να σκουπιστεί. Κάθισαν. Παραδίπλα, σ' ένα παγκάκι πεντέξι γέροντες με ρυτιδωμένα πρόσωπα, αμίλητοι, με το βλέμμα προσηλωμένο στους λόφους απέναντι με τις κοντόσωμες ελιές. Όσο τους πρόσεχε, της θύμιζαν τη σεβά-

σμια δημογεροντία στην κεντρική βρύση του Με-
τσόβου. Ήρθε το γκαρσόνι, παράγγειλαν. Είδε με
την άκρη του ματιού ότι ο Ρουμελιώτης κοίταζε τα
δάχτυλα των ποδιών της. Κι έλεγε το πρωί να λιμά-
ρει τα νύχια της και να τα βάψει, να τρίψει κάπως
και τις φτέρνες της, μετά τι έγινε; Βαρέθηκε; Σιγά
μη σκάσει! Μια χαρά δεν έπινε το δροσιστικό της;
Εκεί που αναμασούσε λέξεις από την ισπανική μέ-
θοδο για αρχάριους, αναποφάσιστη από πού και
πώς ν' αρχίσει την περιήγηση, νά την τώρα μ' έναν
τόσο καλό, τόσο πρόθυμο Ρουμελιώτη.

Θα το ξέρει, ίσως, ο Θεοτοκόπουλος από το 1585
έζησε σ' αυτήν εδώ την εβραϊκή τότε γειτονιά και
σίγουρα το σπίτι του ανήκε στο κτιριακό συγκρό-
τημα του μαρκησίου Βιλένα, αυτό όμως που πα-
ρουσιάζεται σήμερα ως κατοικία του είναι απλώς
απομίμηση. Ποιος ήταν ο Βιλένα; ρώτησε. Αλχημι-
στής, Ισπανία των αλχημιστών και των ζωγράφων,
το έχεις ακούσει; όποια πέτρα κι αν σηκώσεις στην
Ισπανία, θα βρεις από κάτω έναν ζωγράφο. Ή έναν
αναρχικό, της ήρθε αυθόρμητα, αλλά φυσικά προ-
τίμησε να το κρατήσει για τον εαυτό της. Πριν από
χρόνια, συνέχιζε ο Ρουμελιώτης, η δημοτική αρχή
αποφάσισε να γκρεμίσει όλα τα κτίρια του Βιλένα,
επειδή ήταν έτοιμα να καταρρεύσουν. Και τότε
βρέθηκε ένας άλλος μαρκήσιος, ο Βέγα Ινκλάν, που
τα αγόρασε με την υποχρέωση να τα αναστυλώσει

ή να τα γκρεμίσει κατά την κρίση του. Κι αυτός, αφού γκρέμισε όσα θεώρησε επικίνδυνα, αποφάσισε να κρατήσει έναν χώρο και να τον μετατρέψει σε αρχοντικό του Θεοτοκόπουλου. Λένε ότι η απομίμηση είναι πιστή, ότι το κτίσμα που εμφανίζεται σήμερα ως κατοικία του μεγάλου ζωγράφου είναι πανομοιότυπο με την πραγματική κατοικία, με τη μόνη διαφορά ότι, αντί να είναι ακριβώς εδώ όπου βρισκόμαστε, θα πρέπει να ήταν λίγο παρακεί. Μπαίνουν. Παράθυρα σιδερόφρακτα, βαριές πόρτες ξυλόγλυπτες, χωστά ντουλάπια, χτιστοί καναπέδες, η εσωτερική αυλή με λιγοστά λουλουδάκια, το πηγάδι, δωμάτια σαν κελιά, δωμάτια σαν αίθουσες υποδοχής ή χορού, από ένα παράθυρο πέφτει έξω η ματιά της στο ακίνητο ποτάμι και τους ολόγυμνους βράχους. Έπειτα πάλι μέσα, δίπλα στον Ρουμελιώτη. Προσέχει τις σμαλτωμένες πλάκες στους τοίχους και τα πατώματα. *Η Κρήτη του 'δωκε το φως. Το Τολέδο του 'δωκε το πινέλο!* τον άκουσε να απαγγέλλει με στόμφο. Ποιος το είπε; Ο Παραβιτσίνο. Και ποιος ήταν ο Παραβιτσίνο; Ποιητής και φίλος του. Τα βάνει με τον εαυτό της, θα 'πρεπε να 'χει περισσότερα διαβάσει για το Τολέδο και τον Θεοτοκόπουλο προτού φτάσει ως εδώ. Ήταν παντρεμένος; ρώτησε, αν και αυτό το 'ξερε, εφόσον από το πρωί είχε ανασύρει και ξανάβλεπε μέσα της σχεδόν καρέ καρέ εκείνο το παμπάλαιο φιλμ με τον Μελ Φερέρ. Βεβαίως, αποκρίθηκε αυτός, και με κάποια ειρωνεία στο βλέμμα, έτσι της φάνηκε, λες και τον είχε απογοητεύσει ο τρόπος της. Με τη δόνα Χερόνιμα ντε λας Κουέβας, μεγάλος έρωτας, απέκτησαν κι έναν γιο που τον βάφτισαν Γεώργιο-Εμμανουήλ. Μπροστά τους η αίθουσα με τους Δώδεκα Αποστόλους. Ο άγιος Λουκάς που κρατάει ένα μεγάλο ανοιχτό βιβλίο με την εικόνα της Παναγίας. Κατευθείαν από τη βυζαντινή παράδοση, ψιθυρίζει ο Ρουμελιώτης, καθώς ακουμπάει πάλι το χέρι στον ώμο της. Αυτή και πάλι μετακινείται διακριτικά. Όλο το αρχοντολόι του Τολέδο, σχολιάζει αυτός. Πρόσωπα σοβαρά, μάτια διάπλατα, στοχαστικά, καρφωμένα πάνω τους. Στέκεται έκθαμβη. Ο Χριστός Παντοκράτορας. Αυτός ο Χριστός παραπέμπει αμέσως στον Παντοκράτορα του Δαμασκηνού στη Ζάκυνθο. Γυρίζει και τον κοιτάζει εντυπωσιασμένη. Πλησιάζει το παράδοξο, σκοτεινό τοπίο: το Τολέδο. Σύννεφα που κατεβαίνουν, ασημένιες ανταύγειες, ο Τάγος, ο βράχος, τα σπίτια. Και η πικρή ανάμνηση της μακρινής πατρίδας στην άλλη άκρη της Μεσογείου. Τον ακούει που εξηγεί: Ο Γκρέκο δεν ζωγράφισε τοπία, αυτό που βλέπεις μόνο, και άλλο ένα. Πώς να τον ευχαριστήσει; Χαμογελάει και μετακινείται λίγο ακόμη. Από ώρα την ενοχλεί η δυσοσμία στο στόμα του. Επιπλέον, της φάνηκε, ή μήπως του είχαν πράγματι ξεφύγει πριν από λίγο αέρια; Αν όντως του είχαν ξεφύγει, απολύτως αφοσιωμένος δεν θα 'πρεπε να συνεχίζει και πάλι την ξενάγησή του; Τι θα της έλεγε; Συγγνώμη για την κλανιά; Και προχωρούν αργά από αίθουσα σε αίθουσα. Τον ακούει, συγκρατώντας με δυσκολία τα γέλια που την πνίγουν· προσπαθεί να σοβαρευτεί, να σκεφτεί κάτι δυσάρεστο. Οι πληροφορίες του, αν και ενδιαφέρουσες, την εμποδίζουν να προσηλωθεί στα δικά της. Και τι τη νοιάζει; ας μην τα μάθει όλα. Της αρκεί να στέκεται σε μια γωνιά και να βλέπει. Σ' εκείνη τη μοναδική σχεδόν πλατεία, την ιστορική Πλατεία Θοκοδοβέρ που κάθισαν πριν από λίγο για ένα δροσιστικό, θα μπορούσε να μείνει ώρες παρακολουθώντας τους γέρους που της θύμισαν τους άλλους γέρους στο Μέτσοβο. Κι ίσως θ' άξιζε να γνωρίζει λίγα ισπανικά μόνο και μόνο για να τους πιάσει κουβέντα, να τους προκαλέσει να της πουν την ιστορία τους. Εγώ ξέρω, σκεφτόταν, ότι η πόλη τους υπήρχε από τα ρωμαϊκά χρόνια, διάβασα κάποτε για τους Ίβηρες, για τους Βησιγότθους, για τους Άραβες, για τη μάχη του Πουατιέ. Η ναυμαχία της Σαλαμίνας και η μάχη του Πουατιέ! Πώς το λένε; Και σώθηκε από τους βάρβαρους Ασιάτες η Ευρώπη! Ξέρει για τους εξερευνητές, για την Ισαβέλα, για την Ιωάννα την Τρελή. Αυτοί τι ξέρουν; Για τον Εμφύλιο ίσως και για τους αντάρτες που είχαν οχυρωθεί στην κορφή του λόφου; Για τις μάχες που έδωσαν, το αίμα που χύθηκε;

Βγήκαν από το σπίτι με την αίσθηση ότι δεν μπόρεσε να δει όσα θα 'βλεπε αν ήταν μόνη, σιωπηλή, από δωμάτιο σε δωμάτιο. Αχάριστη όμως δεν είναι. Ούτε αγενής. Τον ευχαριστεί για άλλη μια φορά. Χωρίς εσάς, του λέει, θα 'φευγα από το Τολέδο και δεν θα είχα τίποτα καταλάβει! Χαμογελάει ευχαριστημένος. Τα μάτια του όμως, που είχαν από ώρα αρχίσει να καφετίζουν, δεν της φαίνονται πια τόσο καλοσυνάτα.

Κατευθύνονται προς το παρεκκλήσι του Αγίου Θωμά. Έχει αρχίσει πάλι να της εξηγεί. Εκεί φυλάσσεται η Ταφή του κόμητος του Οργκάθ. Ο πρωθιερέας του Αγίου Θωμά ήταν γείτονας του Θεοτοκόπουλου. Θέλοντας λοιπόν να γιορτάσει μια δικαστική νίκη του, πρότεινε στον Θεοτοκόπουλο να απαθανατίσει τον θρύλο για τον θάνατο του Γονζάλο Ρουίθ, αφέντη του Οργκάθ. Ο πρωτομάρτυρας Στέφανος, λέει ο θρύλος, και ο άγιος Αυγουστίνος είχαν κατεβεί από τον ουρανό για να παραλάβουν τη σορό του αφέντη και να τη μεταφέρουν στον τάφο. Και γύρω από τη σορό του αφέντη όλη η αριστοκρατία του Τολέδο. Επιτέλους μπροστά στον πίνακα. Άλλο να ξεφυλλίζεις βιβλία τέχνης, λέει, για να πει κι αυτή κάτι, κι άλλο να βλέπεις με τα μάτια σου. Άρχισε να της αναλύει ικανοποιημένος, αν και κάπως απόμακρος, τα επίπεδα του πίνακα. Κι αυτή έχει αρχίσει μ' έναν κόμπο στον λαιμό να σκέφτεται πάλι τα δικά της.

Ιδού και ο Καθεδρικός. Πώς της φαίνεται; Εντυπωσιακός, έκανε να ανοίξει το στόμα της, δεν πρό-

οι άνθρωποι, τα αυτοκίνητα, κάθε μέρα, τα αυτοκίνητα από ψηλά, οι άνθρωποι από ψηλά, ο επιλογέας πραγματικοτήτων δούλευε αδιάκοπα, σκουπίδια εισέρχονταν, σκουπίδια εξέρχονταν, στο ιταλικό εστιατόριο της γωνίας ο αρρενωπός άντρας και η καμπυλόγραμμη γυναίκα είχαν μόλις παραγγείλει, το γκαρσόνι υποκλινόταν με ένα πλατύ επαγγελματικό χαμόγελο, πάντα με συγκινούσε έως δακρύων η σκηνή όπου ο άντρας βγάζει από την τσέπη του σακακιού του ένα κουτάκι κοσμηματοπωλείου, η γυναίκα προσέχει με φιλάρεσκο χαμόγελο τις κινήσεις του άντρα, θα 'θελα να φωνάξω από ψηλά πόσο σε αγαπώ, Σάρον, σε αγαπώ, σε αγαπώ, κουνούσα το χέρι μου κι έβλεπα το επίπονο σημειωτόν της ζωής μου να ακυρώνεται, συμφωνίες, συνωμοσίες, συμφέροντα, το πέρασμά μου από τον κόσμο και οι νόμοι της τραγωδίας, άγγιξα το κουτάκι με το δαχτυλίδι στην εσωτερική τσέπη του σακακιού, τόσες και τόσες οι ιστορίες για τη μετά θάνατον ζωή, τόση η απάτη, τόση η αγωνία, ένας ελέφαντας προχωρούσε στην έρημο, πρόσεχα τον αργό, σταθερό βηματισμό του, στ' αυτιά του οι τρύπες από τις σφαίρες του κυνηγού, ιδού και ο άνθρωπος που κυνηγάει τον ελέφαντα στην έρημο, ιδού και οι αντιλόπες της ερήμου, τριαντάχρονος, έτρεχα κάθε πρωί, απαραιτήτως κάθε πρωί στο πάρκο, ο ιδρώτας στις μασχάλες και στην πλάτη μου, απαραιτήτως κάθε πρωί με τα ακουστικά του γουόκμαν στ' αυτιά μου, τι είχα προλάβει; Να σπουδάσω, να βρω δουλειά, να ονει-

ρευτώ το πολυτελές διαμέρισμα όπου θα φώλιαζα
με τη Σάρον, την αγροικία στη λίμνη, το ταξίδι μας
στους καταρράχτες, ένα ταξίδι στο Λονδίνο, στο
Παρίσι, άλλο ένα στη Βενετία, στη Φλορεντία ίσως,
στο Βερολίνο, με τραβούσε πολύ ο σύζυγος στην
κουζίνα που βοηθάει τη σύζυγο στην ετοιμασία του
πρωινού, αυγά με μπέικον, τοστ με ζαμπόν και ψη-
τά λαχανικά, πορτοκαλάδα στην κανάτα, μπισκό-
τα, σε παλιές ταινίες γουέστερν η γυναίκα ζύμωνε
καθημερινά τα μπισκότα για το πρωινό της οικογέ-
νειας, με συγκινούσε ο πατέρας που πηγαίνει κάθε
πρωί τον γιο του στο ακριβό σχολείο, το σκυλί, το
γκαράζ και τα εργαλεία κηπουρικής, το εβδομα-
διαίο εστιατόριο, το θέατρο, η φιλαρμονική, ένα βι-
βλίο που θα μπορούσα να διαβάσω για την οικονο-
μία, κυρίως, ή για τη διοίκηση επιχειρήσεων, στη
Σάρον θα έπρεπε να αρέσουν τα αισθηματικά, αλ-
λά η Σάρον προτιμούσε να ξεφυλλίζει μηνιαία πε-
ριοδικά ποικίλης ύλης, μαθαίνεις για όλα, για τη
μόδα, τη μαγειρική, την κηπουρική, τα ρεύματα, τα
υφάσματα, μαθαίνεις και για τις τέχνες χωρίς να
πρέπει να πλήξεις, μου είχε φανεί ευστοχότατη η
παρατήρησή της, αποστηθίζεις έναν στίχο για ώρα
ανάγκης, χωρίς να πρέπει να διαβάσεις ολόκληρο
το ποίημα, σου έχει συμβεί αυτό; Μου είχε συμβεί
αυτό, σε όλα γενικώς τα θέματα μου συνέβαινε αυ-
τό, κάτι θέλω να πω, αλλά χωρίς καμιά αγωνία, όσο
κι αν δυσκολεύομαι να το εκφράσω, δεν αισθάνο-
μαι καμιά υποχρέωση και καμιά ανάγκη να το εκ-

φράσω, δεν με απασχολεί η σαφήνεια, να είσαι σαφής, συνεπής και σαφής, επέμενε για χρόνια ο πατέρας, του επέτρεπα να επιμένει, όπως επέτρεπα και στους σεναριογράφους να φαντάζονται ποιος θα μπορούσε ή ποιος θα έπρεπε να είναι ο χαρακτήρας μου, και ποια θα έπρεπε, βάσει του χαρακτήρα μου, να είναι τα σχέδια, οι επιδιώξεις, τα όνειρά μου, ήθελα να φωνάξω ποιητές και προφήτες όλου του κόσμου, ταπεινωθείτε, ψυχαναλυτές και φιλόσοφοι όλου του κόσμου, ξεβρακωθείτε, αλλά δεν είχα φωνή, άκουγα μόνο τη σκέψη μου να διαχέεται και να ξεμακραίνει κυματιστά, ήχος, είπα, τι είναι ο ήχος και πώς σημειώνεται, με οδηγούσε ο προπάππος του προπάππου μου και πετούσαμε, όχι, δεν ήταν πέταγμα το ταξίδι μας, το τραμπάλισμα μόνο της οριστικής, της απόλυτης εξόδου απ' όλες τις επιθυμίες που με ανάγκαζαν κάθε πρωί να εξετάζω και να επανεξετάζω τη θέση μου, ο ελέφαντας της ερήμου προχωρούσε, οι τρύπες από τις σφαίρες του κυνηγού στ' αυτιά του, προχωρούσε αποφασισμένος ο ελέφαντας στο ερημικό αχανές, άκουγα τα βήματά του, ρυθμικά, δεν υπήρχε καμιά αμφιβολία, η Σάρον τηλεφωνούσε σ' εμένα ή για μένα, σκέπαζε τα πατήματα του διψασμένου ελέφαντα το κλάμα της, η μητέρα μου στην ίδια πάντοτε πολυθρόνα στο παράθυρο, δίπλα στο σκονισμένο τραπεζάκι με την επίχρυση κορνίζα της φωτογραφίας του αριστούχου με την τήβεννο που ήμουν κάποτε, φωτογράφοι, δημοσιογράφοι, οι πυροσβέστες, τα δάκρυα στα μάγουλα της μάνας μου, κεριά, λουλούδια, συνθήματα, η κοπέλα που έτρεχε πανικόβλητη με το σακίδιο στους ώμους, θα καθυστερήσεις να πας στη δουλειά σου, άκουσα τη φωνή που με προστάτευε, θα σ' έχει πάρει ο ύπνος, θα κλοτσάς έπειτα την πόρτα του μπάνιου γιατί θα σκέφτεσαι ότι θα σε επιπλήξει το αφεντικό σου, ύφεση, έφεση, άφεση, λέξεις που δεν είχες σκεφτεί, οι αμαρτίες στα θεμέλια, θα ξυρίζεσαι και θα κοπείς, θα δεις το αίμα σου και θα βλαστημήσεις όπως μόνο οι ήρωες σε αμερικάνικες ταινίες ξέρουν να βλαστημούν, μετά θα χτυπήσει το τηλέφωνο, θα είναι η Σάρον και θα την ακούσεις να ουρλιάζει δόξα τω Θεώ, δόξα τω Θεώ, επαναληπτικά, ζεις, ζεις, δόξα σοι ο Θεός, είσαι ακόμη εκεί, πού εκεί; Και θα το μάθεις, ο ουρανοξύστης που δούλευες γκρεμίστηκε, δεν θα ρωτήσεις πώς ή γιατί, θα ανοίξεις την τηλεόραση και θα δεις, θα ξαναδείς άπειρες φορές με τα μάτια σου την ίδια εικόνα, τον εαυτό σου να ξεπροβάλλει από το παράθυρο του εκατοστού ορόφου, τι κάνεις; Μαντιλάκι είναι αυτό που ανεμίζεις; Χαιρετάς; Αποχαιρετάς; Ζητάς βοήθεια; Θα μείνεις εκεί καρφωμένος να βλέπεις, θα αναλογιστείς τον πύργο της Βαβέλ, θα μετράς και θα ξαναμετράς έντρομος τους λοβούς του εγκεφάλου σου από το δεξιό στο αριστερό και πάλι στο ημιανεπτυγμένο δεξιό σου ημισφαίριο, πάλι και πάλι, όχι, εσύ δεν θα παρασυρθείς σε βιβλικές περιγραφές, εσύ δεν πίστευες παρά μόνο στον απαρέγκλιτο προορισμό

155

σου να επιτύχεις, θα χτυπάει το κινητό σου τηλέφωνο, ποιος πουλάει, ποιος αγοράζει, η πληροφορία που διέρρευσε, η συνωμοσία που σκεπάστηκε, το ύψιστο συμφέρον, θα χτυπάει το σταθερό σου τηλέφωνο, εσύ εκεί, στην ίδια θέση, έγινα έπιπλο, θα προλάβεις να σκεφτείς, έγινα πράγμα αμετακίνητο, άφθαρτο, ένα τραπεζάκι που αφήνει τη σκόνη επάνω του να το θωπεύει, αιώνες, χρόνος, τι είναι ο χρόνος, το τεμάχισμα, το βάσανο, η οδύνη του χρόνου, ένας ψυχαναλυτής, ένας ψυχοθεραπευτής, και το εγώ σου σμπαραλιασμένο στο τραπέζι του ανατόμου, είχες δει πολλές ταινίες με παρόμοιο θέμα, μύρισες ξαφνιασμένος τον ιδρώτα σου, έσταζε η καφετιέρα στην κουζίνα, το άρωμα του καφέ και ο ιδρώτας σου, είδες το πρόσωπό σου στον καθρέφτη, θα πρόσφερες μ' ένα φιλί το δαχτυλίδι των αρραβώνων σας στη Σάρον στο γωνιακό ιταλικό εστιατόριο, θα ήταν ωραίος γάμος ο γάμος σας, φιλιά, γλυκά, χαμόγελα, ανθοδέσμες, χοροί, μουσικές, οι γονείς σας, οι φίλοι σας, θα βλέπατε και θα ξαναβλέπατε το φιλμάκι του γάμου σας, το πρώτο παιδί, το αρκουδάκι, το σκιουράκι, η σκυλίτσα στον καναπέ, κάτω Λίζι, αμέσως στο σπιτάκι σου, Λίζι, πώς εικονογραφείται η ζωή; Και θα περνούσαν τα χρόνια, το δεύτερο παιδί που θα σκοτωνόταν στα δέκα του σε τροχαίο, το τρίτο παιδί για να απαλύνει τον πόνο σας για την απώλεια του δεύτερου, και θα στοιβάζονταν τα χρόνια, ημιπληγικός, σ' έναν οίκο ευγηρίας, εγκαταλειμμένος, υπήρξαν τα παιδιά σου που δεν θα τα θυμάσαι, υπήρξε η γυναίκα σου που θα έχει πεθάνει, τα απλά της ζωής, η χαρά να σκαλίζεις το κηπάκι, να καλημερίζεις τον γείτονα, θα πέθαινες, αγάπη μου, πριν από μένα, κι εγώ θα τέλειωνα σ' έναν οίκο ευγηρίας, μ' έσυρε παρακεί ο Μοϊκανός προπάππος του προπάππου μου, η Γη και η περιπέτειά της, ο άνθρωπος και η απληστία του, ο ποταμός Χάντσον που έχασε τις όχθες του, το Μανχάταν που αγοράστηκε από τη Νέα Ολλανδική Εταιρεία έναντι 24 δολαρίων, ιθαγενείς εξαπατημένοι, σωριασμένοι, σφαγμένοι, από γενιά σε γενιά οι εγκληματίες, οι τυχοδιώκτες, οι φτωχοί και οι κυνηγημένοι, οι ακτήμονες και οι ανυπότακτοι, οι ρομαντικοί, οι ερωτευμένοι, οι εξερευνητές, οι θαλασσοκράτορες, οι πειρατές, το δίκαιο του δυνατού, όσο πιο γρήγορα μπορείς να καλπάσεις, τόσο πιο μακριά θα καρφώσεις στην κατακτημένη γη τον δικό σου πάσσαλο, η μοιρασιά του ποταμού, η φλέβα του χρυσού, η μεταξωτή κάλτσα της παραστρατημένης, το πιάνο, οι φιγούρες στην τράπουλα, οι κούπες και τα σπαθιά, η ντάμα και ο ρήγας, οι σκλάβοι, το μπαμπάκι, τα μπιζέλια, ο καπνός και ο καφές, η σοκολάτα, οι εφευρέτες και ο Μοϊκανός προπάτοράς μου κυνηγημένος στο δάσος, ο παππούς του προπάππου μου αιχμαλωτισμένος στο στρατόπεδο των Λευκών και η Ουαλή οικονόμος του Άγγλου διοικητή που θα τον ερωτευτεί και θα τον βαφτίσει. Ο Θεός που ευλογεί την Αμερική και ο Θεός που τιμωρεί τον παραβάτη, τα δικαιώματα και τα συμφέροντα, η νέγρα που χορεύει, ο νέγρος που προσεύχεται, η σφεντόνα του μικρού Παλαιστίνιου, ο Χίτλερ που θα φουρνίσει τους Εβραίους για να τους οδηγήσει στη Γη της Επαγγελίας, το εβραϊκό αίμα της γιαγιάς μου, το ιταλικό αίμα της προγιαγιάς μου, η Ιρλανδή μητέρα μου και η Γερμανίδα γιαγιά του πατέρα μου, ρωτούν οι δημοσιογράφοι πώς ήμουν, η Σάρον βουρκωμένη εκθειάζει τα χαρίσματά μου, ζωγραφίζει με λαμπερά χρώματα τη ζωή που θα ζούσε μαζί μου, αλλά εγώ αδημονώ να απολαύσω τη διαφημιστική προσφορά της Εταιρείας, η Υδρόγειος θέαμα πολυδάπανο στους επισκέπτες, κολυμβητές και ακροβάτες, χορευτές, μπασκετμπολίστες, χιονισμένα βουνά, ορμητικά ποτάμια, η καμήλα στο σκονισμένο μονοπάτι, ο υδατοφράκτης που ποτίζει τις πορτοκαλιές στην άμμο, το απέραντο που με συγκρατεί και η επιμονή του διψασμένου ελέφαντα που συνεχίζει την πορεία του στην έρημο, το τσάι και το κρουασάν, η υγρασία, η ομίχλη, κι ύστερα πάλι τα ζωντανά βουνά, τα θυμωμένα ποτάμια, πύραυλοι που αστοχούν, άντρες με κελεμπίες και σαρίκια κομπάρσοι σε ταινία εποχής, μουλάδες, κραυγές, βόμβες, γυναίκες ξυλοδαρμένες, τυμβωρύχοι στα χαλάσματα, υπόγειες σήραγγες, ένας εμίρης που ψαρεύει σε λιμνούλα του Σέντραλ Παρκ, οι γυναίκες του, τα παιδιά του, οι τραπεζικοί του λογαριασμοί, οι φανατικοί του ακόλουθοι, τα όπλα του, οι προμηθευτές του, ο Αλλάχ και τα πράσινα υφάσματα του παραδείσου, το πιλάφι, ο παστουρμάς, το τετράγωνο καρπούζι, ο ψυχαναλυτής που ακούει τον πυροσβέστη, οι ηγέτες που συνεδριάζουν, οι πράκτορες που τρίβουν τα χέρια τους, οι πολεμικές βιομηχανίες που ανανεώνουν συμβόλαια, οι ερευνητές που εκκολάπτουν ιούς, οι φαρμακοβιομήχανοι που κλείνουν συμφωνίες, οι διαφημιστές, οι δημοσιογράφοι, έβλεπα τον ελέφαντα οδηγημένο από τη μνήμη του στη χαμένη κοίτη του ποταμού, έσκαβε ακούραστα με την προβοσκίδα του ο ελέφαντας, χέρια, πόδια, κεφάλια στον λασπωμένο σωρό, εκσκαφείς στα συντρίμμια, η οικονομία του πλανήτη, οι συγγενείς των θυμάτων, οι αγνοούμενοι, ταινίες με φαντάσματα, το βραχυκύκλωμα που βυθίζει το σπίτι στο σκοτάδι, το υπόγειο, το φτυάρι στο υπόγειο του σπιτιού, το χτισμένο πτώμα, η Σάρον που με βλέπει στον ύπνο της, ξυπνάει και ξέρει ότι θα συνεχίσει και χωρίς εμένα τη ζωή της, και ξέρω ότι θα ξεχαστώ, η επέτειος μόνο, 11 Σεπτεμβρίου για νέες συμφωνίες, νέους πολέμους, τα αδικαίωτα θύματα, η πλάνη του κοινού θνητού και η ακάματη πλάνη του ξυλουργού, το έθνος που θα πενθεί, η πιο φτωχή χώρα του πλανήτη που θα ισοπεδωθεί, οι φυλές και οι φύλαρχοι, στρατηγοί, φανατισμένα πλήθη, γυναίκες κουκουλωμένες, η τυραννία του θεού, νύχια μαύρα, μάτια θολά, εκδικητές άγγελοι, τιμωροί τραπεζίτες, κύριε Μπράουν, ξυπνήστε, καιρός να πηγαίνετε, η Σάρον με τη φωτογραφία μου, κύριε Μπράουν, ακούω τη φωνή, με τραβάει από το δεξί

χέρι ο προπάππος του προπάππου μου, κανείς δεν
θα μπορούσε να βεβαιώσει ότι πρόκειται πράγματι
για τον προπάππο του προπάππου μου, η φωνή μό-
νο που έρχεται για να καταργήσει τον χρόνο και το
χτυποκάρδι του διψασμένου ελέφαντα που έχει
φτάσει οδηγημένος από τη μνήμη του στη χαμένη
κοίτη του ποταμού και η χαμένη κοίτη του ποταμού
που τον υποδέχεται, σε περίμενα, σε θυμόμουν, κε-
λαρύζει, νερό είμαι και δεν ξεχνώ, νερό και τρέχω
και θυμάμαι, νερό και γράφω και καταγράφω, νερό
είμαι και αφρίζω και μνησικακώ, κι εγώ εδώ, πάλι
και πάλι, άγνωστο από ποιας ανάγκης μου τη μνή-
μη οδηγημένος, είδα τα όνειρά μου πακεταρισμένα
στα ράφια της μεγαλύτερης πόλης του κόσμου, πα-
τικωμένα, συσκευασμένα αεροστεγώς, η κατσαρί-
δα ετοιμόγεννη στον τοίχο δίπλα στο κρεβάτι μου,
το διαμέρισμα σκονισμένο, τα ξεραμένα και τα ξι-
νισμένα στον νεροχύτη, τα τσαλακωμένα σεντόνια
στο κρεβάτι, η μυρωδιά μου και το κλάμα μου, νύ-
χτα της 10ης Σεπτεμβρίου, γιατί είχα αγρυπνήσει
και γιατί είχα πει: Θεέ, εάν υπάρχεις, πάρε με;
Προσπαθώ να θυμηθώ και ακούω το αντιπαθητικό
κλάμα μου, βλέπω τη μύξα μου στην άκρη της μύ-
της, η Σάρον αστραφτερή στο μπαρ όπου σύχναζε
η παρέα μας, ο Νικ και ο Μάικ, η Σάρον και ο Μπιλ,
οι εκδρομές, τα πάρτι, οι σουίνγκερ και τα κρεβά-
τια ομαδικής θεραπείας, οι εκκρίσεις, ο ιδρώτας,
ο εμετός, με την αθλητική φόρμα μου στο πάρκο,
χασμουρητά, απογεύματα, στοιχήματα, ακούω τη

μουσική στο ημίφως, πλησιάζω και τρέμω, χαμηλώνω το βλέμμα, είναι αυτό που θα δω και δεν θέλω, δες το, με παροτρύνει η φωνή του Μοϊκανού, η Σάρον αστραφτερή στην αγκαλιά του Μάικ, όχι, δεν είναι αυτό που νομίζεις, φώναζε έπειτα η Σάρον, Ρόμπερτ, Ρόμπερτ, άκουγα διαπεραστική τη φωνή της που με καλούσε να επιστρέψω, αλλά εγώ ήμουν έξω και μακριά, κανείς δεν είχε ενδιαφερθεί να με ακολουθήσει, έτρεχα κι άκουγα το λαχάνιασμά μου καταζητούμενος σε ταινία, σταμάτησε δίπλα μου ο ταξιτζής, κι ήταν αυτός, ο καταματωμένος τιμωρός μειδιώντας παρανοϊκά, μπες, με διέταξε, έχεις ακούσει για τα Σόδομα και τα Γόμορρα; Ανεβαίνω έπειτα τις σκάλες για το διαμέρισμά μου, η Σάρον και ο Μάικ θα συνεχίζουν τα φιλιά τους στο μπαρ, χτυπάει το τηλέφωνο αλλά δεν το σηκώνω, ακούω τη φωνή της μάνας μου στον τηλεφωνητή, Ρόμπερτ, Ρόμπερτ, έκλαιγα για σένα χθες όλη νύχτα, κάτι σου συνέβαινε κι έκλαιγα για σένα, άκουγα τη φωνή της μάνας μου κι ήξερα πια, ο ελέφαντας με τη μνήμη του νερού και το νερό με τη μνήμη του κόσμου κι εγώ με τη μνήμη της γυναίκας που θα 'πρεπε ν' αγαπήσω, πέρασαν όλες από μπροστά μου, οι συμμαθήτριες, οι συμφοιτήτριες, οι φίλες των φίλων μου, οι γειτόνισσες, άγνωστες στο μετρό, στο αεροπλάνο, γυναίκες από δίπλα μου στις λεωφόρους, στα μουσεία, στις συναυλίες, εκείνη που με προσπέρασε αγγίζοντάς με άθελά της με τον αγκώνα, η άλλη που έπεσε πάνω μου, η ξανθιά στο σούπερ μάρκετ μπροστά στο ταμείο, μην κλαις, ήθελα να της πω, θα πληρώσω για σένα, αλλά την πρόσεχα που έκλαιγε ανέκφραστος, τι με κοιτάς, βλάκα, ο βλάκας στο σχολείο και ο βλάκας στο κολέγιο, η χρυσή μετριότητα, περίμενα τη Σάρον και φάνηκε, μεσημεράκι στο γραφείο, ανάμεσα σε άλλες που ζητούσαν δουλειά και την ξεχώρισα, την κοίταξα και με κοίταξε, ας μην της ομολόγησα αμέσως τον έρωτά μου, κάθε νύχτα από τότε στο ίδιο μπαρ, όποιος δεν αξίζει θα περάσει στα αζήτητα, η προσφορά και η ζήτηση, οι δέκα εντολές και τα μάτια της Σάρον, το μεγάλο ψάρι που τρώει το μικρό, η φύση που δεν αστειεύεται, η φύση που παραμονεύει και εκδικείται, ο άνθρωπος με τα ζωώδη ένστικτά του, θεωρίες, ο πλανήτης το φέουδό μας, το κοφτερό βλέμμα του Μάικ, οι Πορτορικανοί, οι Μεξικανοί, απορρίμματα στις αυλές μας, οι απολύσεις και η ανεργία, είχα εντελώς κρεμαστεί από το παράθυρο του ουρανοξύστη χωρίς να γνωρίζω ότι εκείνη ακριβώς την ημέρα θα μου ανακοίνωνε το αφεντικό την απόλυσή μου, το περιτυλιγμένο κουτάκι ξεχασμένο στο σακάκι μου, η Σάρον που είχε προτιμήσει τον Μάικ, ο Μάικ που είχε μιλήσει στον διευθυντή, τα προσόντα της Σάρον και οι απαιτήσεις της Σάρον, εκείνο το πρωινό θα 'πρεπε να μαζέψω τα μικροπράγματα από το γραφείο μου, την επομένη θα καθόταν η Σάρον στη θέση μου και το βράδυ θα έπινε το ποτό της με τον Μάικ που θα είχε εν τω μεταξύ συνέλθει από το χθεσινό μεθύσι του,

ο επιλογέας πραγματικοτήτων ανεξέλεγκτος, σκου-
πίδια εισέρχονταν, σκουπίδια εξέρχονταν, ο λυκάν-
θρωπος εν δράσει στην ταινία, κι εγώ κρεμασμένος
από το παράθυρο, λάσπη στα βάθη των θαλασσών,
μικρά φύκια, μικρά ζώα στον βούρκο, το πετρέλαιο,
λέω, αδαμάντινα τρυπάνια, άνθρωποι τρέχουν,
ουρλιάζουν, φωτιές, σύννεφα πυκνά, αυτός που βι-
ντεοσκοπεί τους σχηματισμούς της σκόνης θα μπο-
ρούσε να πουλήσει ακριβά το φιλμάκι του, οι τηλε-
οράσεις παντού στον κόσμο με την ίδια εικόνα, σαν
χάρτινοι πύργοι, σαν ταινία του Χόλιγουντ, όλοι
ανεξαιρέτως απορούν, κοινές απορίες κοινών θνη-
τών, τα αθώα θύματα, πότε ένα θύμα είναι αθώο
και πότε δεν είναι, οι συγγενείς των αθώων, ο πρό-
εδρος των αθώων, η αθωότητα και η ανθρωπότητα,
σε τι είχα φταίξει, σε τι είχες φταίξει, η οργή, ο θυ-
μός, ο μετανάστης με το μαχαίρι στη φλέβα του
λαιμού μου, ο τρόμος στρογγυλός κι εγώ στο κέ-
ντρο, πάρε τα όλα, μη με σκοτώσεις, τι είμαι, τίπο-
τα δεν είμαι, πήρε τα είκοσι δολάρια που βρήκε στο
πορτοφόλι μου, το κινητό τηλέφωνο, τις πιστωτικές
κάρτες, είχα καθίσει τρέμοντας στα σκαλιά του
μουσείου, ήθελα να σκεφτώ, η τελευταία μου ευ-
καιρία να σκεφτώ για την ανάγκη που οπλίζει το
χέρι ενός μετανάστη, για την αιτία που τον διώχνει
από τον τόπο του, αλλά ποιος σεναριογράφος θα
ενδιαφερόταν σήμερα να φανταστεί μια ιστορία με
θέμα τα προβλήματα ενός μετανάστη, είχα ενοχλη-
θεί με τον εαυτό μου και με την έλλειψη μαχητικό-

τητας που με ροκάνιζε, θα το επισημάνει και ο
Μάικ δυο χρόνια αργότερα, πόσο αφήνομαι στην
ηδονή της ήττας, στην παραδοχή της αδυναμίας μου
ν' αντισταθώ, η αντοχή του ανθρώπου και η αντοχή
των φυτικών μονοκύτταρων οργανισμών, ο ελέφα-
ντας έπινε νερό και κατάβρεχε με την προβοσκίδα
του τη ράχη του, η χαμένη κοίτη του ποταμού και η
χαμένη μου άγνοια, η ζωή χωρίς όρους, η βροχή που
ξεπλένει, το χιόνι που εξαγνίζει, η Σάρον που θα
μπορούσε να μ' έχει αγαπήσει, ο τελευταίος Μοϊ-
κανός που με προκαλεί να γελάσουμε, έλα να θυ-
μηθούμε, με προτρέπει, τις διακόσιες εβδομήντα
τέσσερις πολυθρόνες-καθοίκια των Βερσαλιών, επεν-
δυμένα με πανάκριβο βελούδο καθοίκια, αλλά δεν
μπορώ να γελάσω, 12 Οκτωβρίου 1492, λέει ο Μοϊ-
κανός, οι γαλοπούλες και ο ανανάς, η μασέλα του
προέδρου Ουάσινγκτον από δόντια ιπποπόταμου,
το αερόστατο των αδελφών Μονγκολφιέ, ένας κό-
κορας, ένα πρόβατο, μια πάπια, οι παιδικές μου
γνώσεις, τα παιχνίδια μου, είδα για μια στιγμή τα
βιβλία μου στο πατάρι του στοιχειωμένου πατρι-
κού, τον πρώτο μου υπολογιστή αποκοιμισμένο, τα
σύννεφα της σκόνης πυκνώνουν, η εξουσία πρέπει
να έχει ένα υποκείμενο για να εξασκείται, η εξου-
σία έχει ανάγκη από έναν χώρο για να μπορεί να
απλώνει τα πόδια της, τη φαντάστηκα θελκτική σαν
τα ανοιχτά σκέλια γυναίκας, οι ανθρώπινες αξίες
και τα άδεια κελύφη τους, έβλεπα το σώμα μου να
πέφτει, αλλά εγώ το είχα κιόλας εγκαταλείψει,

φτερό το σώμα μου, καλπασμοί αλόγων, φιστικο-
βούτυρο από ψηλά, σκόνη, απάτητα βουνά, η μηχα-
νή του πολέμου, η μνήμη του νερού και οι τρύπες
στ' αυτιά του κυνηγημένου ελέφαντα, παιδιά χωρίς
πόδια, χωρίς χέρια, σωριασμένα το ένα επάνω στ'
άλλο, πείνα, δίψα, αρρώστιες, επιδημίες, κλάματα,
μύγες, αίμα μαύρο, εκδοχές, παραθέσεις, υποθέ-
σεις, προϋποθέσεις, η Σάρον απαριθμούσε τις αρ-
ρωστημένες εμμονές μου, παζάρευε συνεντεύξεις
της σε περιοδικά, η τραγωδία που θεμελιώνεται
στην παρεξήγηση, είχε μανίες και νευρώσεις ο Ρό-
μπερτ, πίστευε ότι εποφθαλμιώ τη θέση του στην
εταιρεία, ο πατέρας του πάσχει από αμνησία απο-
ξεχασμένος σε οίκο ευγηρίας, η μητέρα του καθη-
λωμένη στην αναπηρική δίπλα στο παράθυρο, επι-
βαρυμένο πολύ το παρελθόν του Ρόμπερτ, αμφίβο-
λο το μέλλον του, είχα πολύ προσπαθήσει να του
εμπνεύσω εμπιστοσύνη στον εαυτό του, θεωρούσε
τον καλύτερό του φίλο θανάσιμο αντίζηλο, είμαι
καθολική με αρχές, πιστεύω στον γάμο και στην οι-
κογένεια, λατρεύω τα παιδιά και τα σκυλιά, θα
ήθελα πολυμελή, χαρούμενη οικογένεια, αλλά ο Ρό-
μπερτ δεν είχε την οικονομική δυνατότητα, περίμε-
νε, όλο περίμενε την προαγωγή του, προαγωγή ή
απόλυση, έλεγε, αυτό είναι το σύστημα, υπήρχαν
στιγμές που γινόταν βίαιος, ακατανόητος, τον γοή-
τευαν τα όπλα και τα μαχαίρια, ώρες στο αποπνι-
κτικό, σκοτεινό διαμέρισμά του παίζοντας με το
Κολτ του πατέρα του, ένα παμπάλαιο περίστροφο,

και με σημάδευε, εδώ, μου έλεγε, ακουμπώντας την κάννη στον κρόταφό μου, αν με προδώσεις, εδώ. Την ακούω γαλήνιος, πρέπει η συνέντευξή της στο περιοδικό να είναι αποκαλυπτική, μπορώ για πρώτη φορά να την καταλάβω, ποτέ η Σάρον δεν θα με πρόδιδε παρά μόνο για το ένα δολάριο που θα μπορούσε να γίνει δύο δολάρια, τώρα θα πρέπει να μιλήσει και για τα δικά της δύσκολα χρόνια, την αλκοολική μητέρα της, σ' αυτό κανείς σεναριογράφος δεν θα είχε αντίρρηση, δύσκολα χρόνια, δύσκολη ανάπτυξη, σκουπίδια εισέρχονταν, σκουπίδια εξέρχονταν, ίσως και να επινοήσει ότι τη χαϊδολογούσε δεκάχρονη ο πατέρας της, ο Μοϊκανός προσπαθεί να με παρασύρει, ο ελέφαντας ξεδίψασε και δροσίζεται, αμμόλοφοι κυματιστοί, οάσεις, Βεδουίνοι, το τσάι από κύπελλο σε κύπελλο, οι χουρμάδες από χούφτα σε χούφτα, η ψύχρα της ερήμου, η φωτιά και οι θρύλοι, η Σάρον και ο Μάικ που αποκοιμήθηκαν, διότι έπρεπε να σωθούν, η τύχη και το πέταγμα της πεταλούδας, το παραμύθι και οι ιστορίες της Χαλιμάς, οι πρόγονοι, το φεγγάρι, παιδιά που τόλμησαν και χαμογέλασαν, ιστορίες με στοιχειωμένους φάρους, η θάλασσα, οι ναυαγοί, οι εκδικητικοί καρχαρίες, οι πονεμένες φάλαινες, τα πασίχαρα δελφίνια, ο παιδικός υπολογιστής μου στο πατάρι, ένα τραγούδι, προσπαθώ να θυμηθώ ποιο ήταν το τραγούδι που είχα τραγουδήσει πιο πολύ, ποιος ήταν ο ηθοποιός που για χρόνια ταυτίστηκα μαζί του πιο πολύ, λίγο πριν από την πτώση μου, Σάρον, σ' αγαπώ, σ' αγαπώ, διαμελισμένος στη λάσπη, ένας πυροσβέστης ανασύρει το αριστερό χέρι μου, άκουγα λυγμούς και παρακαλετά από το διπλανό καταπλακωμένο σώμα, ελευθερία, Θεέ μου, και απόρησα με την επίκληση, τα έζησα όλα και δεν έζησα τίποτα, αν είναι εφιάλτης, σκέφτηκα, θα ξυπνήσω.

(2001)

Χωρίς παλτό

ΕΠΕΣΕ ΦΕΥΓΑΛΕΑ ΤΟ ΒΛΕΜΜΑ ΤΟΥ στον βαλσα-
μωμένο αϊτό. Προσπάθησε να μην αφεθεί, όπως
μια ζωή το συνήθιζε, σε μελαγχολικούς, ασύμφορους
συσχετισμούς. Για το πώς ένας αϊτός βαλσαμώνεται
με ανοιχτές τις φτερούγες. Πώς αποθεώνεται ψόφιος
επάνω στο έπιπλο. Και φάνηκε, για να τον αποσπά-
σει, η Βερονίκη. Την πρόσεχε με τον δίσκο καθώς άρ-
χισε να τρατάρει χαμογελαστή τους επισκέπτες. Κα-
ταδεκτική αλλά χωρίς οικειότητα. Ήθελε να κρατήσει
τις αποστάσεις; Ή μήπως από συστολή; Στάθηκε
μπροστά του, το βλέμμα της καρφώθηκε στον αρι-
στερό ώμο του, πήρε το γλύκισμά του αυτός, άφησε
εκείνη δίπλα του στο τραπεζάκι το λεπτεπίλεπτο πο-
τηράκι με το λικέρ. Πόσες φορές την είχε δει όλες κι
όλες; Πέντε ή έξι. Στον δρόμο ίσως μια δυο φορές,
στον κινηματογράφο, στην εκκλησία. Αλλά δεν την
είχε καθόλου προσέξει ως γυναίκα. Την έβλεπε μόνο
σαν την απόμακρη θυγατέρα του γερο-πολιτευτή.

169

Όλοι είχαν στρέψει το ενδιαφέρον τους στον Μάνο. Τα βουλευτικά καθήκοντά του τον κρατούσαν δέσμιο στην πρωτεύουσα. Ευτυχώς, αυτήν τη φορά θα μείνει ολόκληρη βδομάδα κοντά τους. Πολύ τους έχει επιθυμήσει όλους. Και πόσο του λείπει η μικρή τους πόλη. Τον άκουγε ο Λεωνίδας και αναρωτιόταν αν όντως αυτός είχε καταρτίσει τον κατάλογο των δώδεκα που είχαν εκτοπιστεί από την πόλη τον περασμένο Απρίλιο. Τι του έλεγε πάλι τις προάλλες ο Παύλος; Εκεί που μνημονεύανε για πολλοστή φορά τον Σταύρο, σαν ξαφνιασμένος κι ο ίδιος με τον εαυτό του που δεν το είχε έως τότε σκεφτεί, γυρίζει και του λέει: Ούτε στον ύπνο του δεν θα μπορούσε να ονειρευτεί βουλευτική έδρα ο φίλος σου ο Μάνος, αν δεν είχε ξεπαστρέψει τον Σταύρο, γιατί ο Σταύρος όχι μόνο ήξερε καταλεπτώς, με στοιχεία, τα αίσχη του αλλά και ήταν αποφασισμένος να μιλήσει, δεν ήταν ο Σταύρος ο Έλληνας αξιωματικός που θα μπορούσαν σαν και τόσους να τον εξαγοράσουν. Σώπαινε, είχε υψώσει τη φωνή ο Λεωνίδας. Μέσα του όμως ήξερε ότι ο Παύλος δεν υπερβάλλει. Κι έμενε τώρα φαινομενικά απορροφημένος με τις κινήσεις της Βερονίκης. Όπως την είδε να φεύγει με τον δίσκο, έχοντάς τους πια όλους τρατάρει, προσήλωσε τη σκέψη του στα γόνατά της. Κάπου το 'χε διαβάσει· το μυστήριο της γυναίκας εκεί φωλιάζει. Του 'χε κάνει καλή εντύπωση ο μακρύς λαιμός της. Το στήθος της διαφαινόταν πλούσιο. Το ελαφρό καμπούριασμά της, λόγω ύψους, την έκανε στα μάτια του ακόμη πιο συμπαθή. Το λευκό δέρμα της, ο περίπλοκος κότσος στα μαύρα μαλλιά της. Προσπάθησε να τη φανταστεί με τα μαλλιά λυτά. Αλλά δεν είχε μπορέσει να προσδιορίσει το χρώμα των ματιών της. Καστανόμαυρα; Και όμως βγαίνοντας από το δωμάτιο, στην κλεφτή ματιά που αντάλλαξαν, του φάνηκαν σκούρα μπλε. Και είχε την αίσθηση ότι κάπως ταράχτηκε με το βλέμμα του. Αλλά μπορεί και να 'κανε λάθος. Μπορεί η ταραχή να 'ταν μόνο δική του. Το 'ξερε άραγε και η ίδια; Δες την καλύτερα, δεν χάνεις τίποτα, μπορεί να σου αρέσει. Λάβε υπόψιν και την προίκα της. Θα πάρεις κι εσύ τ' απάνω σου. Δεν είναι μόνο το χρήμα, είναι και οι πλάτες. Εκεί που φτάσαμε, Λεωνίδα, έχουμε ανάγκη και τις πλάτες. Και μάλιστα τις γερές πλάτες. Θα βρεις έτοιμο το γραφείο, την εκλογική πελατεία σου, αρκεί να το θελήσεις να πολιτευτείς. Και την ιατρική πελατεία σου θα αναβαθμίσεις. Θα χαρεί και η κακομοίρα η μάνα σου.

Επέστρεψε η Βερονίκη και κάθισε δίπλα στον πατέρα της. Ζητούσαν ακόμη οι νεότεροι πολιτευτές τη γνώμη του, τον υπολόγιζαν. Ο Μάνος μίλησε για την ορθή κίνηση του Σοφούλη να ζητήσει αύξηση της βοήθειας από τους Αμερικάνους περί τα εκατό, τουλάχιστον, εκατομμύρια. Κάτι είπαν ακόμη, ο Λεωνίδας δεν καλάκουσε, αναλογίστηκε μόνο, για άλλη μια φορά, πόσο κοντόφθαλμος υπήρξε ανέκαθεν ο Σοφούλης, πόσο μέτριος· έλεγαν τώρα για το θαύμα της Αμερικής, για τον Τρούμαν, για την UNRRA και τα καλά της, οχτακόσια εφτά δέματα με βρεφικά είδη στείλανε στο κέντρο Κοινωνικής Πρόνοιας, τίποτα όμως δεν παρέλαβε ο νομός τους. Μην αρχίσουνε πάλι την γκρίνια, τους συμβούλεψε πατρικά ο γερο-πολιτευτής. Και ο Μάνος, στην προσπάθειά του να τονίσει την υπεροχή της πόλης τους έναντι της γειτονικής, έκρινε σκόπιμο να αναφερθεί και πάλι στα τρία καταδρομικά, στο αεροπλανοφόρο, στα τέσσερα αντιτορπιλικά και στο πετρελαιοφόρο του αμερικάνικου στόλου που είχαν καταπλεύσει τον περασμένο Απρίλιο στο λιμάνι. Θυμηθείτε. Σύσσωμος ο λαός στην υποδοχή του πληρώματος. Άλλος κόσμος, άλλος πολιτισμός. Και πόσο απλός, πόσο εγκάρδιος, πόσο καταδεχτικός ο Αμερικάνος ναύαρχος.

Τους ξάφνιασε η Ελισάβετ με το σχόλιό της: Όσο γι' αυτό, όντως, άλλος πολιτισμός! Έχουν μήπως ακούσει πώς βρέθηκε δολοφονημένη, διχοτομημένη καλύτερα, η περίφημη Μαύρη Ντάλια; Ποια Ντάλια, βρε Σίσσυ, πού τα βρίσκεις! χαμογέλασε ο Επαμεινώνδας. Καλά, δεν έχεις ακούσει τίποτα εσύ για την καημένη τη σταρλετίτσα, την Ελίζαμπεθ Σορτ, που βρέθηκε κατακρεουργημένη σε μιαν αλάνα; Έχω και σοβαρότερα να ασχοληθώ, είπε ενοχλημένος ο Επαμεινώνδας. Ζούγκλα, συνέχισε η Ελισάβετ, ξέρετε τι σημαίνει ζούγκλα; Καλύτερα η αμερικάνικη ζούγκλα παρά η παγωμένη Σιβηρία, σχολίασε ο Μάνος. Τους άκουγε ο Λεωνίδας που διαπληκτίζονταν, αλλά χωρίς καμιά ένταση, φιλικά σχεδόν, και αναρωτιόταν: πρόσωπο ή σώμα; Τι είναι πιο σημαντικό στη γυναίκα; Να 'χει σώμα λαμπάδα ή να 'χει πρόσωπο κούκλας; Καλό, να υπάρχουν και τα δύο. Αν όμως δεν υπάρχουν;

Κι έφεραν σιγανά την κουβέντα στον επερχόμενο χειμώνα, μη γίνει καμιά θεομηνία σαν την περσινή. Κι αν γλιτώσουμε από τη θεομηνία, δεν θα γλιτώσουμε από τον κομμουνιστικό περονόσπορο, σχολίασε χαιρέκακα ο Μάνος, διαβάσατε τις δηλώσεις του Πορφυρογένη στο Στρασβούργο; Τον κάρφωσε με το βλέμμα η Ελισάβετ, κάτι θέλησε να πει, μετάνιωσε. Κι έμεινε να κοιτάζει τα χωνεμένα ξύλα στο τζάκι. Πόσο θλίβομαι, είπε καλοσυνάτα ο γεροπολιτευτής. Ο Λεωνίδας αναρωτήθηκε: να μπει ή να μην μπει στην κουβέντα; Προτίμησε το δεύτερο. Του φάνηκε σαν πικραμένη η Βερονίκη. Λες να θέλει να μιλήσει, να θέλει να εκφραστεί και να μην μπορεί; Να μην της το επιτρέπει η θέση της, η ανατροφή της; Να φοβάται ίσως τον γερο-πατέρα της που καπνίζει ατάραχος το πούρο του; Και ο αϊτός επάνω στον μπουφέ. Το τζάκι, τα περσικά ολομέταξα χαλιά, οι πίνακες, νεκρές φύσεις και πορτρέτα, η βιβλιοθήκη με τους αρχαίους συγγραφείς σε δερματόδετους τόμους. Αυτή είναι λοιπόν η αστική θαλπωρή και αυτές οι ανέξοδες, εσπερινές κουβέντες; Μουγγός στην άκρη του καναπέ. Τους καλύτερους της γενιάς μας τους φάγανε, σκέφτηκε. Ένιωσε τα μάτια του να γυαλίζουν. Μπορεί και ν'

173

άρχιζε να κλαίει. Κι έκοψε μεμιάς το μουρμουρητό μέσα του. Ήπιε δυο γουλιές λικέρ. Αποφάσισε να κοιτάξει τη Βερονίκη. Να δει επιτέλους καθαρά το χρώμα των ματιών της. Ακούστηκε πάλι η Ελισάβετ: Κούλα, ξύλα, η ξαδελφούλα μου αφαιρέθηκε! Το βλέμμα τους διασταυρώθηκε· του φάνηκε ταραγμένη. Απ' τη ματιά του ή από το σχόλιο της Ελισάβετ; Ως πρωτοξαδέλφη αλλά και στενή φίλη της Βερονίκης, του είχε συστηθεί πριν από λίγο, χαιρετώντας τον διά χειραψίας.

Εμφανίστηκε η κυρία Κούλα, η δούλα του σπιτιού, αγκομαχώντας με δυο κούτσουρα ελιάς σ' ένα μπακιρένιο ταψί. Σηκώθηκε η Βερονίκη, άφησέ το εδώ, είπε ψιθυριστά στη γυναίκα. Η γυναίκα υπάκουσε· έφυγε από το δωμάτιο χωρίς να κοιτάξει κανέναν. Έσκυψε με λυγισμένα τα γόνατα η Βερονίκη, πρόσεξε ο Λεωνίδας με πόση αρχοντιά τοποθέτησε το ένα από τα κούτσουρα επάνω στη χωνεμένη φωτιά, πήρε τη μασιά και σκάλισε με προσοχή τα κάρβουνα. Όλοι έμειναν να παρακολουθούν τις φλόγες που τύλιξαν το κούτσουρο. Τη σιωπή έσπασε η Ελισάβετ: Πόσο την ευχαριστεί η φωτιά στο τζάκι, το τρίξιμο, η μυρωδιά του ξύλου που καίγεται. Ο γερο-πολιτευτής αναφέρθηκε έπειτα στη δύσκολη θέση στην οποία έχει περιέλθει ο δικός μας, κανείς δεν τον υπολογίζει. Ο Μάνος αντέδρασε ευγενικά. Από μια συζήτηση που είχε προ ημερών μαζί του συμπέρανε το ακριβώς αντίθετο, σύντομα θα τον δούμε τον δικό μας να ξεχωρίζει. Ναι, σκέφτηκε ο Λεωνίδας, καταλληλότερος για το Παλάτι, για τους ξένους, για τα οικονομικά συμφέροντα δεν θα μπορούσε να υπάρξει. Αλλά δεν είχε έρθει απόψε εδώ να συζητήσει πολιτικά. Ξεσκόνισε μηχανικά το σακάκι του στον αριστερό ώμο, εκεί που πριν από λίγο είχε καρφώσει τη ματιά της η Βερονίκη. Κάτι σαν τρίχα τού είχε φανεί, σαν χνούδι, ή μήπως κλωστή; Η κακομοίρα η μάνα του δεν καλόβλεπε πια, όσο για την αδελφή του, δεν ευκαιρούσε. Και ούτε θα 'χε την απαίτηση. Μ' ένα μαύρο κουστούμι και μ' ένα γκρίζο. Το σκολινό και το καθημερνό. Άλλοι όμως δεν είχαν ούτε καθημερνό.

Και η απορία του Λεωνίδα, πώς και γιατί η Βερονίκη με τα ζωηρά καστανόμαυρα μάτια θα ξέπεφτε τόσο από κοινωνικής απόψεως, ώστε να τον καταδεχτεί, όσο περνούσε η ώρα έπηζε μέσα του σε αγωνία. Επιστήμων, ευπαρουσίαστος, αλλά χωρίς ακίνητα. Στο νοσοκομείο ο ψωρομισθός, στο ιατρείο η φτωχολογιά. Τις περισσότερες φορές δεν του 'κανε καρδιά να ζητήσει ούτε ένα συμβολικό ποσόν για αμοιβή. Κι ας έβλεπε τους άλλους να πλουτίζουν. Και πριν από την Κατοχή και στη διάρκεια της Κατοχής και σήμερα ιδίως. Αυτός αλλιώς την είχε φανταστεί τη ζωή του. Της είχε μιλήσει άραγε ο Επαμεινώνδας; Πρώτα να δεις αν σου αρέσει, άλλο θάρρος έχω μ' εσένα, άλλο με τη Βερονίκη. Τη Βερονίκη την πονώ, δεν θέλω να της βάλω ιδέες κι ύστερα εσένα να μη σου αρέσει. Μυαλωμένη, μεστωμένη. Θα σου σταθεί.

Τους άκουγε και δεν είχε το κουράγιο να πει το παραμικρό. Έλεγε εκείνη τη στιγμή ο λαλίστατος Επαμεινώνδας κάτι για τον άγιο Γενικό Διοικητή. Του φάνηκε ότι ο Μάνος χαμογέλασε ειρωνικά. Αλλά ποτέ κανείς δεν μπορεί να γνωρίζει τι σημαίνει το χαμόγελο του Μάνου. Τους ξάφνιασε πάλι η Ελισάβετ, μιλώντας τους τώρα για κείνη την άτυχη, το διαβάσατε; Τη σκότωσε, παρακαλώ, ο αδελφός της, και γιατί; Ο Επαμεινώνδας, ενήμερος, τάχτηκε αμέσως υπέρ του αδελφού. Χήρα, τον άντρα της τον είχαν σκοτώσει οι Γερμανοί, κι αυτή πώς τίμησε τον ήρωα; Με το να πιάσει αγαπητικό τον πρωτοξάδελφό της; Η Ελισάβετ ήρεμη, το πρόσεξε αυτό ο Λεωνίδας και το εκτίμησε, άρχισε να τους μιλάει για τη γυναίκα και τη θέση της γυναίκας και για την αυτοδικία στο νησί. Είκοσι τριών, κοπελίτσα ήταν, με προξενιό την είχαν παντρέψει. Χήρεψε. Τι να 'κανε; Να μην ερωτευτεί; Επ' αυτού θα συμφωνήσω, ακούστηκε επιτέλους και η Βερονίκη, ο Λεωνίδας γύρισε το κεφάλι προς το μέρος της, κάπως ψιλή και άτονη του φάνηκε η φωνή της, να ερωτευτεί, δε λέω, αλλά τον πρωτοξάδελφό της; Χαμογέλασε διφορούμενα η Ελισάβετ. Γείτονάς της ήταν, μπορεί και από παιδιά να 'ταν ερωτευμένοι και να μην τολμούσαν να εκδηλωθούν, όποιο και αν ήταν, πάντως, το κρίμα της, ο αδελφός της δεν είχε κανένα δικαίωμα να τη σκοτώσει. Η Βερονίκη έσκυψε το κεφάλι. Τι να πει; Ο Μάνος, ίσως και για να στρέψει αλλού την κουβέντα, χαμογελώντας στον γερο-πολιτευτή, άρχισε να μιλάει λίγο θαυμαστικά, λίγο συγκαταβατικά για τον καπετάν Τρομάρα. Για την παλικαροσύνη και το πηγαίον του ανδρός. Ο Λεωνίδας ένιωσε δυσάρεστα. Κοίταξε πάλι τον αϊτό. Βρεγμένος, χιονισμένος ο καημένος. Έκανε νόημα στον Επαμεινώνδα. Έπειτα από λίγο σηκώθηκαν. Καληνύχτισαν σεβαστικά τον γερο-πολιτευτή, πέρνα αύριο από το γραφείο μου να τα πούμε, του πέταξε ο Μάνος, χάρηκα πολύ, είπε και η Ελισάβετ σφίγγοντάς του πέραν του δέοντος την παλάμη, ή μήπως του φάνηκε; Όρθια πίσω τους η Βερονίκη περίμενε, ένιωθε καρφωμένο το βλέμμα της στην πλάτη του, τους συνόδεψε διακριτικά ως τον προθάλαμο, πρόσεξε ο Λεωνίδας τη γλάστρα με το αραχνάκι που κόντευε να φτάσει τις γύψινες διακοσμήσεις στο ταβάνι και θυμήθηκε τα θεριεμένα φυτά εσωτερικού χώρου στο πατρικό του. Και τώρα χάλαρο από τους βομβαρδισμούς. Κοντοστάθηκαν αμήχανοι. Τον καληνύχτισε η Βερονίκη, η φωνή της ήχησε ακόμη πιο ψιλή, λιγότερο άτονη όμως, σαν κάτι να την είχε ζωντανέψει ξαφνικά, ένιωσε χλιαρό το χέρι της στην παλάμη του. Στράφηκε χαμογελαστή στον Επαμεινώνδα: Φιλιά στη θεία. Φάνηκε επιτέλους η κυρα-Κούλα, τους οδήγησε αμίλητη ως κάτω με τον φακό.

Λοιπόν; τον ρώτησε ανυπόμονα ο φίλος του. Βρε Νώντα, άκουσε ο Λεωνίδας περίλυπη τη φωνή του, αυτή θα 'ναι αλλιώς μαθημένη... Και ο πατέρας της; Σ' εμένα θα δώσει τη μοναχοθυγατέρα του; εμένα θα καταδεχτεί; Ο φίλος του τον χτύπησε στον ώμο. Τι θαρρείς; έτσι θα σε πήγαινα να τη δεις; Αυτός μου πρωτομίλησε. Κι είχε ρωτήσει, λέει, τον Μάνο, να πάρει τη γνώμη του. Και ο Μάνος είπε τα καλύτερα για σένα. Έντιμος, άξιος, πατριώτης. Αμέ; Σε όλους αρέσουν οι πατριώτες! Αν είσαι και λίγο αριστερός, τόσο το καλύτερο. Και ο μπάρμπας μου σοσιάλιζε στα νιάτα του, δεν το 'ξερες; Όχι, δεν το 'ξερε ο Λεωνίδας. Κι έτρεμε από την ψύχρα χωρίς παλτό εκείνη την οκτωβριανή νύχτα του 1947, έτρεμε όμως και από συγκίνηση. Του είχε προκαλέσει ταραχή ότι ακόμη και ο ανατέλλων αστήρ της πολιτικής, η αλεπού ο Μάνος, τον εκτιμούσε. Ότι ο γερο-πολιτευτής τον είχε επιλέξει. Δεν ήταν ωραία η Βερονίκη, αλλά δεν ήταν κι άσκημη. Κι είχε τόση αρχοντιά. Προσπάθησε πάλι να τη φανταστεί με τα μαλλιά λυτά. Συμφωνώ, είπε αυθόρμητα, αν με θέλει, δεν λέω όχι. Σε θέλει, μου το 'δειξε με το βλέμμα της, κι εσένα σου το 'δειξε... καλά, μην αρπάζεσαι, άντε να τα μιλήσεις και με τη μάνα σου, θα χαρεί και η αδελφή σου... κατάλαβέ το, αυτός ο γάμος σε συμφέρει. Ο Λεωνίδας τον κοίταξε πειραγμένος. Συνήθως δίνουν οι γονιοί τη νέα και ωραία κόρη στον γέρο πλούσιο. Και τώρα αυτόν, ούτε στην πρώτη του νεότητα ήταν πια, ούτε ωραίος, νά όμως που τον δίνουν στη σιτεμένη Βερονίκη. Κι ας προσπαθούσε να τη φανταστεί με λυτά μαλλιά. Τι θ' άλλαζε; Η μύτη της θα παρέμενε γαμψή, τα δόντια της πεταχτά, ή μήπως του φάνηκε; Όχι, δεν ήταν πεταχτά τα δόντια της, μπορεί να πει μάλιστα πως το χαμόγελό της κέρδιζε σε νοστιμιά χάρη στο κάπως προτεταμένο επάνω σαγόνι της, όχι, όχι, καλή ήταν, ομορφούλα, σεμνή, τον ενοχλούσε μόνο που τον παζάρευαν, και πόσο πιο καλό θα ήταν αν την είχε συναντήσει κάπου τυχαία κι αν είχαν συμπαθήσει ο ένας τον άλλο χωρίς μεσολαβητές.

(2005)

Από τραπέζι σε τραπέζι

ΕΙΧΕ ΚΑΝΕΙ ΤΗΝ ΚΑΘΗΜΕΡΙΝΗ διαδρομή του ως την αμμουδερή παραλία. Κρέμασε την πετσέτα του στο δικό του αλμυρίκι. Έπειτα βούτηξε στο δροσερό νερό για το πρωινό του μισάωρο κολύμπι. Μια μέδουσα ακίνδυνη έπλεε δίπλα του. Περιεργάστηκε τα χρώματα, το σώμα της. Θυμήθηκε ότι τον είχε κάποτε απασχολήσει η καταγωγή των ειδών, ότι συζητούσε συχνά με τους φίλους του για τον Δαρβίνο. Αφέθηκε να χαζεύει τα ψαράκια που τον τριγύριζαν. Ξεχύθηκε παράταιρη η κραυγή ενός γλάρου. Παράταιρη με τι; Με την αρρυτίδωτη επιφάνεια του γαλάζιου; Με την ησυχία του ουρανού; Και πώς ζύγισε αστραπιαία το σώμα του, πώς όρμησε, πώς έχωσε το ράμφος του, πώς άρπαξε το μικρό ψάρι και χάθηκε πέρα! Έμεινε ακίνητος και κρυφάκουγε. Μπορεί και να 'φτανε ως αυτόν το σβήσιμο της θάλασσας στην απέναντι ακτή. Έπειτα; Στη ροτόντα οι αγαπημένες του λιχουδιές. Και είχε αρχίσει ευδιάθετος να πιρουνιάζει. Μετά τι

181

έγινε; Βλέπει τον εαυτό του θυμωμένο. Κάτι ετοιμάζεται να πει στην παιδική φίλη της γυναίκας του. Και αυτή, εφόσον για άλλη μια φορά κατάφερε να τον φέρει εκτός εαυτού, χασκογελάει με αγαλλίαση. Τι προσπαθεί να της πει; Κι όσο να καταλάβει τι προσπαθεί να της πει, έχει πάρει το μέρος της και η γυναίκα του καλύτερου φίλου του. Ο πιο καλός του φίλος, όπως πάντα, ουδέτερος. Κι αυτός, ως συνήθως, με τη γυναίκα του δικηγόρο. Θέλει να της πει να σωπάσει, ότι μπορεί και μόνος να τα καταφέρει, ότι δεν την αντέχει να του χαλάει τόσα χρόνια τις απόψεις του. Ποιες απόψεις του; Τις πολιτικές; Και τι ακριβώς του προσάπτει η παιδική φίλη της γυναίκας του;

Σιγανό μουρμουρητό στην κρύα ψηλοτάβανη αίθουσα. Συγγενείς οι πιο πολλοί, φίλοι, κάνα δυο γείτονες ομοϊδεάτες. Ο γιος του απόμακρος στην κεφαλή του μακρόστενου, ξύλινου τραπεζιού. Μ' εκείνο το διφορούμενο, εκνευριστικό μειδίαμα. Και μια φωτογραφία που έχει αρχίσει από χέρι σε χέρι τον γύρο του τραπεζιού. Άλλοι την κοιτάζουν συγκινημένοι, κάτι λένε, άλλοι της ρίχνουν μια βιαστική ματιά και την πασάρουν αμέσως, χωρίς κανένα σχόλιο, στον διπλανό τους. Φαντάσου τώρα, ψιθυρίζει η γυναίκα στον άντρα δίπλα της, καθώς περιεργαζόταν τη φωτογραφία, να έπεφτε ο θείος σου στα χέρια του πατέρα μου που είχε χάσει τον αδελφό του από βόλι αντάρτη. Το ψιθυρίζει όμως χωρίς καμιά επικριτική διάθεση, σχεδόν αδιάφορα. Και τι εννοεί; Ότι ο αξιότιμος πατέρας της υπήρξε βασανιστής στη Μακρόνησο; Έπειτα έδωσε τη φωτογραφία στον πλαϊνό της. Αυτός δεν είναι ο αγαπημένος του ανιψιός, ο Άκης; Ποιος είχε μάθει ποδήλατο στον Άκη; Ποιος του είχε μάθει κολύμπι, μακροβούτια, να ξεχωρίζει τις επικίνδυνες από τις ακίνδυνες μέδουσες, ποιος του είχε δείξει πώς να κρατάει τις ρακέτες, πώς να παρακολουθεί το μπαλάκι του πινγκ πονγκ; Έχει μείνει ο Άκης με τη φωτογραφία στο χέρι. Τον πλησιάζει, σκύβει πάνω από τον ώμο του, κοιτάζει κι αυτός τη φωτογραφία. Ένας έφηβος που ποζάρει. Με το βλέμμα στο μέλλον, ευρύστερνος, καμαρωτός. Και τι κρατάει; Ένα τουφέκι. Ο έφηβος στη φωτογραφία τον αναστατώνει. Και ο δρόμος. Και το οδόφραγμα στον δρόμο. Η φωτογραφία συνεχίζει από χέρι σε χέρι. Από χέρι σε χέρι κι αυτός. Προσπαθεί να θυμηθεί πώς είχε βρεθεί εκείνες τις μέρες σ' εκείνον τον χωματόδρομο ένας φωτογράφος, αλλά αποσπούν την προσοχή του οι καφέδες που έρχονται.

Αν δεν ήταν φίλος του Σταύρου και αν ο Σταύρος δεν είχε ξάδελφο τον Φώτη και αν ο Φώτης δεν ήταν ερωτευμένος με την Ελπίδα. Και πήραν οι καρδιές τους φωτιά. Πρώτα με τα χωνιά, τα συνθήματα, τις προκηρύξεις. Εκείνο τον Αύγουστο του 1942. Πρόσεξε, φώναζε ο πατέρας του, μη μάθω ότι μπλέχτηκες, θα σε γδάρω. Αλλά αυτός μπλέχτηκε. Θα διώξουμε τους Γερμανούς, θα πολεμήσουμε τους μοναρχοφασίστες. Έπειτα ήρθαν οι αναλύσεις, η θεωρία, ο ηρωικός ρωσικός λαός. Και οι δικοί μας αντάρτες στα δικά μας βουνά. Ήταν και το καλύτερο μέλλον, η λαϊκή δημοκρατία, η ισότητα, η αδελφοσύνη. Το θυμάται εκείνο το απογευματάκι. Τον είχαν βάλει κάτω και τον έδερναν οι δυο χίτες στη γειτονιά. Εμφανίστηκε πάνω στην ώρα ο πατέρας του, ντροπή σας, βρε, και τους χίμηξε, στο δικό μου παιδί βρήκατε να ξεσπάσετε; Τον άρπαξε από τα χέρια τους, τον έσυρε από το μανίκι, τον έχωσε στο σπίτι και τον άρχισε στο ξύλο. Μπήκε στη μέση η μάνα και οι αδελφές του και τον γλίτωσαν. Έπειτα τι έγινε; Δεκέμβρη του 1944 πίσω από εκείνο το βαρύ τραπέζι. Το είχαν επιτάξει από το γωνιακό δίπατο και το είχαν τραβήξει ως τη μέση του δρόμου μαζί με άλλα έπιπλα. Σας παρακαλώ, τους είχε πει η γυναίκα του σπιτιού, πάρτε το τραπέζι της κουζίνας, αυτό είναι εγγλέζικο, αξίας τραπέζι, η προίκα μου, δέστε τα λιοντόνυχα στα πόδια του. Κι είχαν γελάσει. Τους είχε φανεί πολύ αστείο να πολεμούν ταμπουρωμένοι πίσω από ένα εγγλέζικου στιλ τραπέζι. Κι αν είχε χάσει τη ζωή του τότε; Καλύτερα; Όχι, γιατί αυτός έχει αβίαστα την καλημέρα στα χείλη. Και στη ματιά το χαμόγελο. Έπειτα ήρθε η παράδοση, ο ηρωικός ξεπεσμός. Άλλο τι γράφτηκε έπειτα από χρόνια και άλλο τα βασανιστήρια στο σώμα, το ξεραμένο αίμα, οι μώλωπες στην ψυχή του, η δίψα. Άλλο η εθνική συμφιλίωση, άλλο η φωνή του παλιατζή: Παλιολαμαρίνες, παλιο-βάρελα αγοράζω.

Η φωτογραφία επέστρεψε στα χέρια της γυναίκας του. Η γυναίκα του της έριξε άλλη μια ματιά σαν φιλί και τη φύλαξε στην τσάντα της. Θα τη μεγεθύνει, είπε. Απευθύνθηκε αγριεμένη στ' ανίψια. Θα τη βγάλει σε πολλά αντίτυπα, να την έχουν και να θυμούνται ότι ο θείος τους ο Παύλος αγωνίστηκε για μια δικαιότερη κοινωνία. Ότι βασανίστηκε για τα πιστεύω του. Γυρίζει και κοιτάζει την παιδική φίλη της. Ο Παύλος, και ύψωσε τη φωνή, δεν ήταν επαναστάτης του γλυκού νερού. Η παιδική φίλη της έκανε ότι δεν κατάλαβε το υπονοούμενο. Αυτός όμως μπήκε αμέσως στο νόημα. Και τι να κάνει; Να συγκινηθεί που η γυναίκα του τιμάει τη μνήμη του; Που θέλει δε θέλει εκείνος, αυτή θα τον έχει εικόνισμα; Θυμήθηκε τις ήσυχες νύχτες στη βεράντα, με τ' αστέρια ν' αναβοσβήνουν, με το φιδάκι ευκαλύπτου να σιγοκαίει, τον γρύλο στην πέργκολα της κληματαριάς, τον αρουραίο που ξέφυγε από τον κυνηγιάρη γάτο τους, τις δικές τους μελωμένες νύχτες, αν ήταν δυνατόν, αλλά δεν είναι, το ξέρω, της έλεγε, δεν θέλω να σε βάλω σε μπελάδες, θα μ' ευχαριστούσε πάντως, σαν έρθει η ώρα μου, να με φουρνίσεις και να σκορπίσεις τη στάχτη μου σ' εκείνη τη γωνία του δρόμου. Στο οδόφραγμα. Είχε αρχίσει να μιλάει ο πιο καλός του φίλος. Ποτέ δεν μπορούσε να το φανταστεί, είπε, ότι θα 'φευγε πρώτος ο Παύλος. Έκανε ποδήλατο, περπατούσε, κολυμπούσε, όλα με μέτρο. Ναι, αλλά έτρωγε τον περίδρομο, πετάχτηκε η παιδική φίλη της γυναίκας του, κάπνιζε και το τσιγαράκι του, νευρίαζε με το παραμικρό, να σας πω κάτι που θυμήθηκα. Κι άρχισε με το γνωστό της ύφος. Έβλεπε το στόμα της που ανοιγόκλεινε, αδύνατον όμως να καταλάβει. Λες και μιλούσε σε άγνωστη γλώσσα. Οι άλλοι την άκουγαν χαμογελαστοί. Σίγουρα κάτι αστείο θα έλεγε. Κι έπειτα ξέσπασαν όλοι σε γέλια. Υπήρχε μεγαλύτερη τιμή γι' αυτόν; Αυτό δεν τους έλεγε πάντα; Όταν φύγω για εκεί, ένα σας παρακαλώ, να το πανηγυρίσετε και να τραγουδήσετε το αγαπημένο μου τραγούδι. Αλλά ποιο ήταν το αγαπημένο του τραγούδι; Όχι κάποιο παλιό αντάρτικο, ούτε κάποιο του Θεοδωράκη. Ούτε του Καλδάρα. Άλλο ήταν, ένα ξένο. Αδύνατον να το θυμηθεί.

Όλοι γύρω από το χοντροπόδαρο τετράγωνο τραπέζι της κουζίνας. Οι γονιοί του. Οι αδελφές και οι άντρες τους. Και είχαν μόλις αποφάει το αγαπημένο του πατέρα. Μελιτζάνες με κρέας κοκκινιστό. Είχαν πιει και το κρασάκι τους. Ό,τι έγινε έγινε, είπε ο πατέρας. Κατέστρεψες τη ζωή σου, το μέλλον σου, θα σε βοηθήσω όσο μπορώ, αλλά δεν μπορώ και πολλά, να σε αποχρωματίσω δεν το μπορώ. Κι ούτε το θέλω, αντιμίλησε για πρώτη φορά στον πατέρα του, ρούχο είμαι να ξεβάψω με το τρίψε τρίψε, να μπω και να λιώσω στο πλύσιμο; Τον ακούτε; γύρισε κι είπε θυμωμένος ο πατέρας στους μυαλωμένους γαμπρούς. Και γιατί τότε μου έστειλες μήνυμα να βάλω τα μεγάλα μέσα για να σε σώσω; Ας άφηνες τα κοκαλάκια σου εκεί. Πατέρα, πώς μιλάς έτσι; λυπήσου τον, αντέδρασε η μεγάλη αδελφή. Πήρε έπειτα τον λόγο ο πιο μυαλωμένος γαμπρός. Με σιγανή φωνή, μετρημένη. Όλοι στην οικογένεια τον σέβονταν. Και ο πατέρας ακόμη πιο πολύ. Είναι νωρίς ακόμη, είπε, ο Παύλος πέρασε πολλά, ας τον αφήσουμε να ηρεμήσει πρώτα, να αναλάβει, να σταθεί στα πόδια του. Τον άκουγε και προσπαθούσε να θυμηθεί το αγωνιστικό του παρανόμι. Σβησμένο εντελώς από τη μνήμη του. Και πρόσεχε τη μάνα του που ήταν πάλι κλαμένη. Μια ζωή κλαμένη, με το θυμιατό, το καντήλι, μια ζωή με το αχ γύρω από το χοντροπόδαρο τετράγωνο τραπέζι της κουζίνας.

Σ' ένα σιδερένιο, γδαρμένο εδώ κι εκεί, τραπεζάκι καφενείου. Τη θυμόταν καλά εκείνη τη μέρα. Πάμε μια βόλτα, του είχε προτείνει ο πιο μυαλωμένος γαμπρός του. Τα μικρομάγαζα, οι παράγκες, οι φωνές, οι μυρωδιές. Σε θαυμάζω, του είχε πει, είσαι παλικάρι. Τον άκουγε ο Παύλος βουρκωμένος, με τη ματιά του στα ένδοξα ερείπια. Τώρα όμως πρέπει να δεις και λίγο τη ζωή σου, πρόσθεσε χαμηλόφωνα, σχεδόν στοργικά. Ο αγώνας συνεχίζεται, αλλά πώς θα τον συνεχίσεις τον αγώνα σου, αν δεν νοιαστείς και λίγο για τη ζωή σου; Να βρεις μια δουλειά, να φτιάξεις οικογένεια, έχει δίκιο ο πατέρας σου. Και να το ξέρεις, όλοι σε αγαπάμε, όλοι σ' εκτιμούμε για τον δρόμο που πήρες, ακόμη και ο πατέρας σου καμαρώνει, αλλά κρυφά. Κι έτσι μπήκε για τα καλά στη ζωή του η μετέπειτα γυναίκα του. Να τη γνωρίσεις περισσότερο, του είχε πει ο πιο μυαλωμένος εκείνο το πρωινό στο Μοναστηράκι, να κάνετε και καμιά διήμερη, να πιάσετε επαφή, από μικρή σε λατρεύει, και δεν μπορείς να φανταστείς πόσο σ' εκτιμάει, όλοι μιλάμε, η επωδός της, λόγια, λόγια, αλλά μόνο ο Παύλος αφιέρωσε με πράξεις τη ζωή του στα λόγια, μόνο αυτός έχει τα κότσια.

Είχε σηκωθεί και μιλούσε η γυναίκα του. Γι' αυτόν μιλούσε. Για κείνη τη διήμερη με αντίσκηνο στ' Αγκίστρι. Ερημιά τότε στο πευκόφυτο αρβανιτόνησο. Από τη μια άκρη στην άλλη πεζοπορίες, σπιθαμή προς σπιθαμή εξερευνήσεις, και με το καρπούζι τους να παγώνει στη θαλασσινή γούβα. Για τον αρραβώνα τους, έπειτα, για τον γάμο τους. Όλα μαζί. Και για τα ταξίδια τους, τα αστεία τους, τα γλέντια. Αχ εκείνα τα γλέντια τους, τα μακροβούτια, οι βαρκάδες, τα ηλιοβασιλέματα, οι φεγγαράδες. Αλλά και για τα βάσανά τους μιλούσε, για τις δυσκολίες, τις ατυχίες, τις πίκρες, τις κατραπακιές. Και πόσο με νοιαζόταν, είπε, πόσο με φρόντιζε. Και μια φορά, τότε που αρρώστησα, τον είχα δει που έκλαιγε κρυφά. Σκεφτείτε το, έκλαιγε για μένα ο Παύλος κρυφά. Όλο και δυνάμωνε ο εκνευρισμός του. Να της πει να βγάλει, επιτέλους, τον σκασμό; Πρόσεξε ότι και οι άλλοι είχαν αρχίσει να τη βαριούνται. Κι ας έκαναν ότι την άκουγαν με συγκίνηση. Είδε μάλιστα δυο ανιψιές του να σκουντιούνται με τον αγκώνα. Είδε και μια εξαδέλφη του να κρυφογελάει ξινά. Εντάξει, θεία, είπε ο Άκης, μην ταράζεσαι, εντάξει, ηρέμησε. Την πλησίασε μετανιωμένος, έσκυψε. Την άγγιξε στα μαλλιά. Φίλημα η πνοή του στο μάγουλό της.

Ύστερα; Γύρω από κείνο το καφάσι στην υπόγεια γιάφκα. Με τα τασάκια φίσκα επάνω στο καφάσι. Με την ένταση, τα σκοτεινά βλέμματα, το σφίξιμο στο στομάχι. Την κλεισούρα, το βαρύ χνότο. Από το κλειστό παράθυρο μια χαραμάδα φως. Τα σωματίδια της σκόνης στο φως. Η φωνή του συντρόφου-καθοδηγητή τραχιά, μονότονη, πνιχτή. Και ποιο το νόημα να εκφράσει τη διαφωνία του; Θα τους ακούσει όλους υπομονετικά μέχρι τέλους. Τις επιλογές του τις έχει κάνει. Άλλο τα αναμασήματα και τα κουκουλώματα και άλλο η απόφασή του να κό-

Γύρω από τη ροτόντα η παρέα. Απλωμένες οι αγαπημένες του λιχουδιές. Και είχε αρχίσει ευδιάθετος να πιρουνιάζει. Έπειτα τι έγινε; Βλέπει τον εαυτό του θυμωμένο. Κάτι ετοιμάζεται να πει στην παιδική φίλη της γυναίκας του. Και αυτή, εφόσον για άλλη μια φορά κατάφερε να τον φέρει εκτός εαυτού, χασκογελάει με αγαλλίαση. Τι προσπαθεί να της πει; Κι όσο να καταλάβει τι προσπαθεί να της πει, έχει πάρει το μέρος της και η γυναίκα του πιο καλού φίλου του. Ο φίλος του, όπως πάντα, ουδέτερος. Κι αυτός, ως συνήθως, με τη γυναίκα του δικηγόρο. Θέλει να της πει να βγάλει τον σκασμό, ότι μπορεί και μόνος να τα καταφέρει καλύτερα, ότι δεν την αντέχει να του χαλάει τόσα χρόνια τις απόψεις του. Ποιες απόψεις του; Τις κομματικές; Και τι ακριβώς του προσάπτει η παιδική φίλη της γυναίκας του; Έπειτα τι έγινε; Άνοιξε το στόμα κάτι να πει. Αλλά δεν είχε φωνή. Μόλις που πρόλαβε να σκεφτεί: Έρχεται, ήρθε. Τους έβλεπε, τους άκουγε. Αλλά δεν ήταν αυτός. Έσκυβαν και του φώναζαν: Παύλο, κράτα γερά. Θα γίνεις καλά, υπομονή. Πόσο καλά, πόση υπομονή;

Άρχισαν συν δυο, συν τρεις, οι συγγενείς και οι φίλοι και οι κάνα δυο ομοϊδεάτες γείτονες να σηκώνονται από το τραπέζι. Γέλια, κουβέντες στον αυλόγυρο, κάτι μπορεί και να κανόνιζαν για το επόμενο Σαββατοκύριακο. Μια εκδρομή ίσως; Η κρύα ψηλοτάβανη αίθουσα ερήμωνε. Ήρθε και κάθισε μια μύγα στο φλιτζανάκι του καφέ. Τελευταίος σηκώθηκε ο γιος του. Άκουσε πάλι την κραυγή εκείνου του γλάρου. Αλλά δεν του φάνηκε τώρα παράταιρη. Και η θάλασσα ακύμαντη. Και η γλοιώδης μέδουσα στη θέση της. Τη λένε και τσούχτρα. Τσούχτρα και η παιδική φίλη της γυναίκας του. Ακούστηκε η φωνή του παλιατζή στον κεντρικό δρόμο: Παλιά πλυντήρια, παλιές τηλεοράσεις παίρνω. Πόσα χρόνια χρειάστηκαν όσο το *αγοράζω* του παλιατζή να γίνει *παίρνω*; Και πόσα άλλα, όσο να γίνει παλιά θερμοσίφωνα, παλιά ψυγεία καθαρίζω; Μεμιάς όλα ησύχασαν. Άφησε για τελευταία φορά τρυφερή τη ματιά του στον γιο του που κάτι έψαχνε. Να πληρώσει μήπως τον λογαριασμό; Αλλά τον είδε που χώθηκε στην τουαλέτα.

(2009)

193

Τα καθάρματα

ΒΟΥΛΙΑΖΑΝ ΤΑ ΠΕΡΣΙΚΑ ΚΑΡΑΒΙΑ, παίζοντας με την Ιστορία, κατατρόπωναν τους Τούρκους, γελοιοποιούσαν τους Γερμανούς, έχτιζαν έπειτα στην άμμο το κάστρο τους κι ήξερε πολύ καλά το παιδί, εφόσον το 'χε δει με τα μάτια του, πως θα 'ρθει το κύμα να το πάρει ή πως θα το πατήσουν ανέμελα οι άλλοι, εφέτος τον *ανίερο* Ιούλιο, Βουλή, μαμά, Βουλή, φώναζε τ' απογεύματα, λίγο πριν φύγει με τον πατέρα του για την παιδική χαρά, κι έμενε μόνη της αυτή να βλέπει και να ακούει σε ζωντανή μετάδοση τους ρήτορες, καθώς φανταζόταν μία κυρία Αντιγόνη (*το όνομα δεν έχει σημασία*) να μονολογεί απέναντι στην τηλεόραση—

Αν είναι να συγχύζεσαι, θα την κλείσω, τι είναι, ματς; Σκέψου την υγεία σου, εσένα ποιος σε σκέφτηκε; Δεν τους βλέπεις; Όλοι τους δικηγόροι, γιατροί, μηχανικοί, τσαλαβούτες, μόνο για να κοροϊδέ-

τρεγμένο, τι έπαιρνα, τι παίρνω σήμερα, για λογάριασε, κοντά μού διπλασίασε τη σύνταξη, και σαν κι εμένα τόσοι. Ξέρει πως αποκλείεται να δει μακρύτερα η μάνα της ό,τι και να της πει, ούτε και οι θείοι της, προπάντων, ούτε και τα ξαδέλφια της οι κομματάρχες με τα ψηφαλάκια – κι αυτή, ημέρα Σάββατο, 8 Ιουλίου, κάθεται και τους ακούει σε ζωντανή μετάδοση, πότε νευριάζει, πότε λυπάται, περνάει η ώρα, πέφτει το φως, τα πουλιά έχουν αρχίσει, όπως και χτες, τις βόλτες τους στον ουρανό, μπαίνει η μάνα της στο δωμάτιο μ' ένα πιάτο δροσερό, ζαχαρωμένο καρπούζι στο χέρι, ανοίγει απότομα η εξώπορτα και εισβάλλει το παιδί. Ακόμα ακούς τα καθάρματα; ρωτάει ξαναμμένο. Εσύ του μαθαίνεις τέτοιες λέξεις; οργίζεται η μάνα της, ντροπή! Κάθαρμα, θέλει να της πει, αλλά προτιμάει να της στείλει στα πεταχτά ένα φιλί, δεν σημαίνει μόνο το απόρριμμα, ούτε μόνο τον ανάξιο, τον φαύλο άνθρωπο, κάθαρμα σημαίνει και την κάθαρση, τον εξαγνισμό, την καθαρτήριο πράξη. Κάθαρμα σημαίνει και την τελετή.

(1989)

Ταξιδεύοντας με μια φωτογραφία

Στη μνήμη της Αγγελικής Ξύδη

ΚΟΒΕΙ ΤΗΝ ΑΣΠΡΟΜΑΥΡΗ φωτογραφία του κου-
κουλοφόρου και την ακουμπάει δίπλα στις
άλλες αγαπημένες της. Είναι ο ηγέτης του Εθνικού
Απελευθερωτικού Στρατού των Ζαπατίστας (EZLN)
στο Μεξικό. Ο ίδιος υπογράφει «Subcomandante»,
σε ένδειξη σεβασμού στον πρώτο Κομαντάντε, τον
Τσε Γκεβάρα. Προσέχει τη φωτογραφία, δεν ψάχνει
για τα κρυμμένα χαρακτηριστικά του προσώπου,
της αρκούν τα μάτια. Αχνοφαίνεται ο καπνός της
πίπας. Στο άλλο χέρι το όπλο. Για να εκπέμπει ότι
η αντίσταση δεν τέλειωσε; Και τι θα μπορούσε να
σημαίνει σήμερα αντίσταση; Απλώς την αξιοπρέ-
πεια; Και τι θα μπορούσε να σημαίνει αξιοπρέπεια
για τους ιθαγενείς; Δικαίωμα απλώς στη γη των
προγόνων, στη γλώσσα, στις παραδόσεις. Σαράντα
οχτώ γλωσσικά ιδιώματα χωρίς γραπτή παράδοση
κινδυνεύουν να χαθούν στο Μεξικό από τη βία των
ομοσπονδιακών όπλων και από την πείνα.

Όσο προσέχει τη φωτογραφία, τα μάτια γίνονται βλέμμα. Λυπημένο, αποφασισμένο, δουλεμένο βλέμμα. Προσέχει το ρολόι στο χέρι και το καπέλο στο κεφάλι. Το κόκκινο μαντίλι της εξέγερσης στον λαιμό· Μαύρο παντελόνι, χακί πουκάμισο με επωμίδες, χωρίς κανένα άλλο διακριτικό. Ανασηκωμένα τα μανίκια. Τα φισεκλίκια στο στήθος. Πόσες λέξεις εσωκλείει μια φωτογραφία; Αρχές του 1995 η κυβέρνηση του Μεξικού «αποκάλυψε» ότι ο αντάρτης Μάρκος δεν είναι άλλος από τον Ραφαέλ Γκιγιέν, καθηγητή Φιλοσοφίας στο Πανεπιστήμιο. Και τότε ο Κομαντάντε Μάρκος, υπεύθυνος απέναντι στην Ιστορία με σώας τας φρένας και χωρίς καμιά εξωτερική βία, εκτός από την πίεση εξήντα χιλιάδων κυβερνητικού στρατού που τον ήθελαν τότε, αλλά και σήμερα, νεκρό ή ζωντανό, συμπυκνώνοντας με μοναδικό τρόπο την παράδοση των ιθαγενών, δήλωσε ότι το αληθινό όνομά του είναι Μάρκος των Βουνών της Τσιάπας, ότι γεννήθηκε ένα αυγουστιάτικο ξημέρωμα του 1984 στον αντάρτικο καταυλισμό Κρύο Νερό και ότι, ενώ μπορούσε να κατέχει τα πάντα, δίχως να έχει τίποτα, αποφάσισε να μην κατέχει τίποτα, ώστε να τα έχει όλα. Με τόσο απλά υλικά οικοδομούνται οι θρύλοι...

Γεγονός, πάντως, είναι ότι ο πανεπιστημιακός Ραφαέλ Γκιγιέν εξαφανίστηκε την ίδια χρονική περίοδο που άρχισε, στο πλευρό των ιθαγενών, να εκπέμπει ο Μάρκος τα μηνύματά του από τα βουνά της Τσιάπας. Γη και Ελευθερία, το σύνθημα. Κι αυτή θυμάται τον Πλωτίνο Ροδοκανάτη. Έλληνας, γεννημένος το 1828 στην Αθήνα. Οι γονιοί του Πλωτίνου, σκέφτεται, θα ήξεραν σίγουρα ότι βαφτίζουν τον γιο τους στο όνομα του νεοπλατωνικού φιλοσόφου. Και τον έστειλαν αργότερα να σπουδάσει στη Γερμανία ιατρική. Πώς έγινε και βρέθηκε το 1861 από το Βερολίνο καθηγητής Φιλοσοφίας στο Μεξικό; Δυο χρόνια αργότερα θα οργανώσει την πρώτη αναρχική ομάδα του Μεξικού από φοιτητές του Colegio de San Ildefonso και θα είναι ο πρώτος που θα διδάξει και θα διαδώσει στο Μεξικό τις ιδέες για μια κοινωνία βασισμένη στις αγροτικές κολεκτίβες. Την εξέγερση, οχτώ χρόνια αργότερα, θα την οργανώσει ο μαθητής του Χούλιο Τσάβες. Κι έπειτα από δέκα χρόνια θα γεννιόταν ο Εμιλιάνο Ζαπάτα.

Κοιτάζει πάλι τον Κομαντάντε Μάρκος. Κι αν αύριο τον σκοτώσει ο κυβερνητικός στρατός, θα υπάρχουν «εμπορεύσιμες» φωτογραφίες του; Θέλει να πει, φωτογραφίες του χωρίς κουκούλα; Και θα είναι τόσο όμορφος όσο ο Γκεβάρα; Αυτό είναι, λοιπόν, που την ελκύει; Το κρυμμένο του πρόσωπο που τραυματίζει την αισθητική της αγοράς; Το πρόσωπο που θα μπορούσε να είναι ο Καθένας; Ούτε Προμηθέας, ούτε Άδωνις-Εσταυρωμένος. Ένα πρόσωπο μόνο με τα μάτια ανοιχτά που διαπερνούν τον καθρέφτη. Τι βλέπουν πίσω από τον καθρέφτη; Ένας φιλόσοφος αντάρτης; Ένας δάσκαλος; Ένας ανυπότακτος; Διαβάζει το κείμενο του Χρήστου Μιχαηλίδη που συνοδεύει τη φωτογραφία του στην «Ελευθεροτυπία»:

Από τα όρη του νοτιοανατολικού Μεξικού, ο αρχηγός των Ζαπατίστας, Κομαντάντε Μάρκος, έστειλε σ' όλο τον κόσμο, μέσω Ίντερνετ, το δικό του μήνυμα για τον πόλεμο στη Γιουγκοσλαβία. Αντιγράφω ένα μικρό απόσπασμα: «Αν δεν φωνάξουμε ΟΧΙ σήμερα στο ΝΑΤΟ, αύριο θα λέμε ΝΑΙ στη φρίκη που επιβάλλει στον κόσμο το χρήμα των σημερινών επιτιθέμενων. Ο κόσμος μπορεί να γίνει καλύτερος απ' αυτό το αιμοσταγές σούπερ μάρκετ που τώρα μας πουλάει ο νεοφιλελευθερισμός. Δεν θέλουμε να επιλέγουμε μεταξύ δύο πολέμων, όπως θέλουν οι ΗΠΑ, βάζοντας στη μια άκρη της ζυγαριάς την εθνοκάθαρση του Μιλόσεβιτς και στην άλλη τους βομβαρδισμούς. Η επιλογή μας να 'ναι ανάμεσα στον πόλεμο και την ειρήνη, στη μνήμη και τη λησμονιά, στην ελπίδα και την παραίτηση, ανάμεσα στο γκρίζο και το ουράνιο τόξο. Από το ΟΧΙ που φωνάζουμε σήμερα ας γεννηθεί ένα ατελές έστω ΝΑΙ. Ένα ΝΑΙ που θα χαρίσει και πάλι στην ανθρωπότητα την ελπίδα να ξαναχτίσει τις πολύπλοκες εκείνες γέφυρες που θα ενώνουν το μυαλό με το συναίσθημα».

Ένα ατελές έστω ΝΑΙ. Καλημερίζει τη φωτογραφία και χαιρετάει τις αυτόνομες εξεγερμένες κοινότητες Πολό, Εμιλιάνο Ζαπάτα, Σάντα Κατερίνα, Ρεαλιδάδ στην Πολιτεία Τσιάπας. Από τις πιο πλούσιες, λένε, σε ορυκτό πλούτο Πολιτείες του Μεξικού. Παράγει ηλεκτρισμό για όλη σχεδόν τη χώρα.

Και όμως τα δύο τρίτα των σπιτιών είναι χωρίς ηλεκτρικό ρεύμα. Και όλη τη νύχτα έτρεμαν τα πεινασμένα παιδιά, ακούγοντας τα κυβερνητικά ελικόπτερα να πετούν πάνω από την καλαμένια στέγη της καλύβας των γονιών τους. Την ημέρα τα ίδια παιδιά θα φοβούνται τα αεροπλάνα και τις φάλαγγες των κυβερνητικών στρατιωτών. Αλλά τι είναι φόβος; Τον αναγκάζεις να συνυπάρχει με την υπερηφάνειά σου, τον ξελογιάζεις με τραγούδια. Υπολογίζει βιαστικά: Κοντά η μισή Ελλάδα είναι η Πολιτεία Τσιάπας. Και η μισή της μισής Ελλάδας είναι σήμερα εξεγερμένη. Και πολιορκημένη. Αλλά δεν υπάρχει σαφές πολεμικό μέτωπο. Οι αυτονομημένες κοινότητες των Ζαπατίστας είναι μετακινούμενες. Τα επίσημα στοιχεία λένε ότι σε κάθε οικογένεια ιθαγενών αντιστοιχεί κι ένας βαριά οπλισμένος κυβερνητικός στρατιώτης. Παρακεί, κρυμμένα από την παγκόσμια κοινή γνώμη, τα επίλεκτα σώματα των Αμερικάνων στρατιωτών. Ποιος θα μπορούσε να το φανταστεί; Και ποιος θα το γύριζε ταινία; Μην το ξεχνάτε: στον αιώνα της Πληροφορικής, πληροφορούμαστε μόνο αυτά που πρέπει να πληροφορούμαστε για να είμαστε αυτοί που πρέπει να είμαστε.

Στη φωτογραφία οφείλει την περιέργεια να ανοίξει έναν μεγάλο χάρτη του Μεξικού. Ούτε καν ότι πρόκειται για Ηνωμένες Πολιτείες του Μεξικού γνώριζε. Πετρέλαιο και ορυκτά στο υπέδαφος. Χρυσός, άργυρος, ψευδάργυρος, χαλκός, μόλυβδος. Νότια, η Πολιτεία Τσιάπας βρέχεται από τον Ειρηνικό Ωκεανό. Νοτιοδυτικά, όπως βλέπει στον χάρτη, συνορεύει με τη Γουατεμάλα. Οι μπλε γραμμούλες των ποταμών. Οι καφετιές σκιές για τα βουνά. Ο έβενος, το μαόνι, το ροδόξυλο. Το άρωμα του καφέ και το άρωμα του κακάου. Ο καπνός. Το καλαμπόκι. Τα χρώματα, τα πρόσωπα, τα πουλιά, τα τύμπανα, τις φωνές, τα τραγούδια. Άλλα τα επαναστατικά τραγούδια, άλλα τα τουριστικά. Και τα δυο με ωραία μελωδία. Δεν υπάρχουν καλοί και κακοί ιθαγενείς. Καλοί και κακοί μιγάδες. Καλοί και κακοί Ισπανοί. Υπάρχουν μόνο οι Μεξικανοί από τη μια και η κυβέρνηση από την άλλη με τους υπαλλήλους της. Πολλούς υπαλλήλους. Και η προδομένη επανάσταση. Το Σύνταγμα που κερδήθηκε με αίμα για να εφαρμόζεται ανάλογα με τις περιστάσεις. Ο αναδασμός που δεν ολοκληρώθηκε. Οι πέντε μεγάλοι πολιτισμοί της προκολομβιανής περιόδου: των Μάγια, των Τολτέκων, των Ολμέκων, των Μιξτέκων, των Αζτέκων. Η σημερινή πρωτεύουσα του Μεξικού που έχει χτιστεί στα ερείπια της αρχαίας πρωτεύουσας των Αζτέκων Τενοτστιτλάν.

Τι άλλο θα 'πρεπε να γνωρίζει για το Μεξικό; Ο πρώτος Ισπανός που πάτησε σε μεξικανικό έδαφος ήταν ο Φρανσίσκο Φερνάντεθ ντε Κόρδοβα το 1517. Πραγματικός όμως κατακτητής του Μεξικού θεωρείται ο Κορτές. Στις 27 Απριλίου του 1519 αποβιβάστηκε στο λιμάνι Βερακρούθ και προχώρησε στο εσωτερικό της χώρας. Έναν χρόνο αργότερα δολοφονήθηκε ο τελευταίος αυτοκράτορας των Αζτέκων Μοκτεζούμα. Έπειτα από δυο χρόνια ο Κορτές ονομάστηκε κυβερνήτης της Νέας Ισπανίας. Οι ιθαγενείς στα κάτεργα, στα ορυχεία, στις φυτείες. Και από κοντά οι ευρωπαϊκές αρρώστιες, οι κακουχίες, η πείνα. Και κυλούσαν οι αιώνες της ισπανικής κατοχής. Την ίδια περίπου εποχή με την ελληνική επανάσταση, 10 Οκτωβρίου του 1824, ανακηρύσσεται πρώτος πρόεδρος της Μεξικανικής Δημοκρατίας ο στρατηγός Γουαδαλούπε Βικτόρια. Οι κατακτητές όμως παρέμειναν και πάλι κάτοχοι απέραντων εκτάσεων γης, ενώ οι ιθαγενείς παρέμειναν και πάλι δουλοπάροικοι. Ποιος μπορεί να κατανοήσει τη μεξικανική ιστορία με τις τόσες επαναστάσεις, αντεπαναστάσεις, επεμβάσεις, συνταγματικές μεταβολές, εάν δεν έχει κατανοήσει το καθεστώς των ισχυρών γαιοκτημόνων που εμπεδώθηκε από τον Κορτές; Ο Κορτές ήταν όμως και ο ιδρυτής των μεγάλων πόλεων, των επιβλητικών εκκλησιών, των πανεπιστημίων, των κρατικών μεγάρων!

Εκατό χιλιάδες βαρέλια πετρέλαιο ημερησίως. Πώς γίνεται ο τόπος σου να είναι τόσο πλούσιος, αλλά η Αγορά να σε θέλει να λιμοκτονείς; Το ταξίδι της Διεθνούς Επιτροπής Παρατηρητών για τα ανθρώπινα δικαιώματα ξεκίνησε από το Σόκαλο, την κεντρική πλατεία της πρωτεύουσας με τα είκοσι εκατομμύρια κατοίκους. Οι Ευρωπαίοι

ηγεσία. Αλλά τι σημαίνει «θέλω» στην πολιτική; Εφόσον μπορούν να τους αφήσουν εκεί, πολιορκημένους, υποσιτισμένους, ώσπου να πεθάνουν από την πείνα. Γιατί να σηκώσουν το «βάρος» της μαζικής σφαγής, να ξεσηκώσουν τη διεθνή κοινή γνώμη εναντίον τους; Αρκεί να δουλεύει η πολεμική μηχανή. Αρκεί να καλλιεργείται στη συνείδηση του μέσου Μεξικανού ο τρόμος και η ξενοφοβία. Πόσο μπορούν ακόμη να αντέξουν οι εξεγερμένοι; Αργά και σταθερά θα τους γονατίσουν έναν έναν. Και όμως αντέχουν. Και απλώνονται στη ζούγκλα. Η μια αυτόνομη κοινότητα μετά την άλλη με το πείσμα του απελπισμένου που δεν έχει τίποτα να χάσει, αν εξεγερθεί, αλλά έχει να κερδίσει τον αυτοσεβασμό του, αν επιμείνει. Ο Κομαντάντε Μάρκος δεν φοράει πια κουκούλα. Μπορεί να διακρίνει το πιγούνι, το μέτωπό του. Όπλο του ο λόγος και όχι το όπλο που κρατάει στο χέρι. Μπορεί να τον φανταστεί μπροστά στον φορητό υπολογιστή του:

[...] Εάν η τεχνολογία και η πληροφορική ένωσαν τον κόσμο, η οικονομική εξουσία τις χρησιμοποιεί σαν πολεμικά όπλα για να τον διαλύσει. Καταργεί τα σύνορα για να οικοδομήσει τη νέα παγκόσμια τάξη (πλανητική, διαρκή, άμεση και άυλη, σύμφωνα με τον Ιγνάσιο Ραμονέ). Για τον σκοπό αυτό διεξάγει έναν νέου τύπου πόλεμο ενάντια στην εθνική οικονομία του κράτους-έθνους που βρίσκεται πλέον στη διαδικασία της εξαφάνισης. Στη θέση του εμφανίζο-

νται αγορές, ή καλύτερα, υποκαταστήματα του με-
γάλου παγκόσμιου «mall» της παγκόσμιας αγοράς.
Αποτέλεσμα: Όλο και λιγότεροι άνθρωποι κατέχουν
όλο και περισσότερα πλούτη που παράγονται από
όλο και περισσότερους εργαζόμενους που γίνονται
όλο και περισσότερο φτωχοί. Ακριβώς όπως λέει ο
Τζον Μπέργκερ, η φτώχεια του αιώνα μας δεν μπο-
ρεί να συγκριθεί με καμία άλλη. Δεν είναι το φυσικό
αποτέλεσμα, όπως σε άλλες εποχές, της σπανιότη-
τας αγαθών, αλλά μιας σύγκλισης προτεραιοτήτων
που επιβάλλονται από τους πλούσιους στον υπόλοι-
πο κόσμο. Ο πλανήτης είναι φιλόξενος για μερικούς
ισχυρούς, ενώ εκατομμύρια μετανάστες περιπλα-
νώνται χωρίς να μπορούν να βρουν ένα μέρος για
να εγκατασταθούν. Το οργανωμένο έγκλημα απο-
τελεί τη σπονδυλική στήλη των δικαστικών συστη-
μάτων και των κυβερνήσεων (οι εκτός νόμου κάνουν
τους νόμους) και η παγκόσμια «ολοκλήρωση» πολ-
λαπλασιάζει τα σύνορα.

Τα χαρακτηριστικά της εποχής μας είναι: κυ-
ριαρχία της οικονομικής εξουσίας, επανάσταση της
τεχνολογίας και της πληροφορικής, πόλεμος, κατα-
στροφή και αναδόμηση, επιθέσεις εναντίον κρατών-
εθνών, επαναπροσδιορισμός της εξουσίας και της
πολιτικής, ανάδειξη της αγοράς σε ηγεμονικό σχή-
μα, που κυριαρχεί σε όλες τις όψεις της ζωής,
υπερσυγκέντρωση του πλούτου στα χέρια ενός μι-
κρού αριθμού προσώπων, μεγάλη εξάπλωση της
φτώχειας, αύξηση της εκμετάλλευσης και της ανερ-

γίας, ξεριζωμός εκατομμυρίων ανθρώπων, διάλυση των εδαφών, κυβερνήσεις εγκληματιών. Με δυο λόγια: κατακερματισμένη παγκοσμιοποίηση.[...]

Σε ό,τι αφορά τους διανοούμενους, πρέπει να αναρωτηθούμε: έχουν άραγε υποφέρει από το φαινόμενο της καταστροφής και αναδόμησης; Τι ρόλο τους αποδίδει η οικονομική εξουσία; Πώς χρησιμοποιούν (ή χρησιμοποιούνται από) τις τεχνολογικές εξελίξεις; Ποια είναι η θέση τους σε αυτόν τον πόλεμο; Τι σχέσεις έχουν με αυτά τα κράτη-έθνη; Ποιος είναι ο δεσμός τους με την εξουσία και την πολιτική; Ποια είναι η θέση τους απέναντι στις συνέπειες της παγκοσμιοποίησης;

Δεν είναι δυνατόν να αντιγράψει όλο το άρθρο του Μάρκος από τη «Monde Diplomatique». Συμφωνεί ή δεν συμφωνεί όμως μαζί του, σημασία έχει ότι από τα βουνά του νοτιοανατολικού Μεξικού εκπέμπεται λόγος σαφής και δραστικός. Για πρώτη φορά τής περνάει από το μυαλό ότι η φωτογραφία που έχει μπροστά της πιθανόν και να μην εικονίζει τον Κομαντάντε Μάρκος. Πιθανόν να εικονίζει κάποιον άλλο αντάρτη. Ή και κανέναν αντάρτη. Πιθανόν η φωτογραφία να τραβήχτηκε επιτούτου. Για να ταξιδέψει σε όλον τον κόσμο μέσω Ίντερνετ. Τι αλλάζει; Εφόσον τα μάτια του εικονιζόμενου εκπέμπουν, έτσι ή αλλιώς, το μήνυμα. Έπειτα από τον ψυχρό πόλεμο, τον τρίτο παγκόσμιο, όπως επισημαίνει και στο άρθρο του ο Μάρκος, βρισκόμαστε σήμερα στον τέταρτο, τον ηλεκτρονικό. Και οι Ζαπατίστας από τη ζούγκλα της Τσιάπας αντάρτες στο Διαδίκτυο. Πώς αλλιώς θα μπορούσαν να ελπίζουν σε διεθνείς παρατηρητές στις αυτονομημένες κοινότητες; Και όταν, λέει, ο τακτικός στρατός στρέφει τις κάννες εναντίον του άμαχου πληθυσμού, όταν τα τανκς πλησιάζουν σε απόσταση αναπνοής τα παιδιά, μπαίνουν μπροστά με τα διαβατήριά τους οι ξένοι παρατηρητές, οι Καναδοί, οι Αμερικανοί, οι Γάλλοι, οι Ιταλοί. Τότε ο στρατός αναγκάζεται να υποχωρήσει.

Δεν το διάβασε πουθενά, το υποθέτει όμως με βεβαιότητα: Οι αντάρτες στο όνομα του Εμιλιάνο Ζαπάτα αντέχουν γιατί έχουν έρεισμα στα λαϊκά στρώματα των αστικών κέντρων και γιατί έχουν μέσα από την πρακτική τους εξασφαλίσει, όσο μπορεί βέβαια να εξασφαλισθεί κάτι τέτοιο, την ηθική, πολιτική και υλική συμπαράσταση των συμπατριωτών τους. Ας τους παρουσιάζουν απομονωμένους, ας τους συκοφαντούν οι κυβερνητικές εφημερίδες και τα κρατικά κανάλια. Το Θεσμικό Επαναστατικό Κόμμα που νικήθηκε στις εκλογές ήταν το κόμμα που κυβερνούσε στο ομοσπονδιακό Μεξικό από το 1929. Και το ερώτημα είναι: Ενώ κυβερνούσε εβδομήντα χρόνια ένα κόμμα «επαναστατικό», πώς ο λαός παρέμενε, όπως και πριν από ενάμιση αιώνα, το ίδιο εξαθλιωμένος;

Άλλοθι μήπως και αναβατήρας της εξωτερικής

Κοιτάζει για άλλη μια φορά τη φωτογραφία του στο γραφείο της δίπλα στον Μάρλο Μπράντο Εμιλιάνο Ζαπάτα. Παρακεί ο Πίτερ Ο' Τουλ, *Λόρενς της Αραβίας*, με τον Διονύσιο Σολωμό. Ο Γιάννης Ρίτσος καπνίζει συνοφρυωμένος, ο Νικ Νόλτε *Αποστολή στη Νικαράγουα*, η Μέλπω Αξιώτη με την Γκλεν Κλόουζ, η Ελίζαμπεθ Τέιλορ με τη Βιρτζίνια Γουλφ, ο Οδυσσέας Ελύτης με το λευκό του πουκάμισο, ο Τσε Γκεβάρα με τον μαύρο μπερέ, ο Βάρναλης δίπλα στη Μέριλιν Μονρόε. Χαμογελάει η Μέριλιν ή μήπως πρόκειται να βάλει τα κλάματα; Και ο Στρατής Τσίρκας μονίμως λυπημένος. Πιο πέρα ο ακάματος Καραγκιόζης. Ο στρατηγός Μακρυγιάννης, ο Οδυσσέας Ανδρούτσος, ο Άρης Βελουχιώτης. Η Ελβετίδα φίλη της Γκρατσιέλα, που σκοτώθηκε πριν από χρόνια πολλά σε αεροπορικό δυστύχημα στη Γιουγκοσλαβία, τότε που η Γιουγκοσλαβία ήταν ακόμη Γιουγκοσλαβία. Επαναστάτες, ηθοποιοί, ποιητές. Λοιπόν; Ανοίγει το βιβλίο *Παλάμη ωχρού μελισσοκόμου* του ποιητή Μάνου Λουκάκη. Το ξέρει, το ήξερε πάντα. Μέσα από χρυσοφόρες φλέβες και υπόγεια περάσματα, ποίηση και εξέγερση δούλευαν πάντοτε, ερήμην τους και ερήμην μας, για τον ίδιο σκοπό: *Τραβάτε τα κουπιά οι στα σκληρά εθισμένοι.*

(2000)

Τριάντα χρόνια πριν και τριάντα μετά

Ω PA MIA KAI ΜΙΣΗ, μετά τα μεσάνυχτα, 30 Ιουνίου. Φεγγάρι απατηλά ολοστρόγγυλο, αν βγει στο μπαλκόνι θα το δει. Δεν βγαίνει όμως. Πίσω από την μπαλκονόπορτα μόνο, τραβώντας λίγο την κουρτίνα. Το φως που φτάνει ως αυτήν είναι δικό του. Αν ζει το 2030, θα είναι ογδόντα τριών χρόνων. Θα μπορεί να καπνίζει; Να πίνει τον ένα μετά τον άλλο τους καφέδες της; Πόσες αρρώστιες θα κουβαλεί; Έπειτα από τριάντα χρόνια οι άνθρωποι θα αγωνίζονται, έστω και λάθος, θα αντιδρούν, έστω και σπασμωδικά, θα θυμώνουν, έστω και παροδικά, ή μήπως θα έχει πια επικρατήσει η πλήρης, η οριστική, η διαρκής αποδοχή; Και ποια θα είναι η πλήρης, η οριστική, η διαρκής αποδοχή; Και σε τι; Ποιος θα είναι ο πολίτης του μέλλοντος; Και τι αξίζει πιο πολύ; Να μιλάει για την εποχή της ή να μιλάει για το μέλλον; Αλλά πώς το 'λεγε εκείνο το ανάλαφρο αμερικάνικο σουξέ; *The future's not ours to see...* Και τι μετράει πιο πολύ; Να μιλάει για

223

τους άλλους ή να μιλάει για τον εαυτό της; *Μιλώ-*
ντας για τον εαυτό μου και για σας μίλησα, μιλώ-
ντας αποκλειστικά για σας, δεν θα μιλούσα για
κανέναν. Δίστιχο του Γιάννη Ρίτσου. Μπορεί να
φανταστεί τον εαυτό της μισόκουφο, τα χέρια της
να τρέμουν, τα μάτια της ολόστεγνα, το βάδισμά
της σερτό; Όταν ήταν είκοσι ετών, έλεγε ότι στα
τριάντα της θα αυτοκτονήσει. Έπειτα έμαθε να
γερνάει ήπια. Έμαθε, κυρίως, να γερνάει χωρίς πα-
ράπονο. Σαν να τα είχε όλα απολαύσει. Θυμάται
τότε στην Ηλιούπολη, κατακαλόκαιρο, κρατούσε
«Τα Νέα», προχωρούσε στον χωματόδρομο κι
έκλαιγε με αναφιλητά. Είχε μπροστά της τον Τσε
Γκεβάρα αγνώριστο, νεκρό, με μισάνοιχτα μάτια
στη φωτογραφία του πρωτοσέλιδου. Ένας περα-
στικός την είχε κοιτάξει επίμονα. Καμία συμπόνια
στο βλέμμα του. Περιέργεια ίσως; Μπορεί και πε-
ριγελαστική διάθεση. Και θα 'μενε για χρόνια το
βλέμμα του περαστικού πάνω της να της υπενθυμί-
ζει ότι η δική της θλίψη, η δική της σχέση με τον κό-
σμο, το δικό της δικαίωμα να ονειρεύεται, η δική
της ανάγκη να επιμένει, δεν σημαίνουν τίποτα για
τον άλλο. Μπορούσε να προβλέψει εκείνο το μεση-
μέρι το μέλλον της; Όχι. Μπορεί τώρα να τρέξει
τριάντα χρόνια μπροστά; Θα θυμάται τον Οτζαλάν;
Τους νατοϊκούς βομβαρδισμούς στη Γιουγκοσλα-
βία; Μάλλον θα είναι όλα πολύ αχνά.

224

Μόλις έχει σηκωθεί. Καλοδιάθετη, με αργές κινήσεις, ετοιμάζει το πρωινό της στην κουζίνα. Ένα χαπάκι μικρό πορτοκαλί κι ένα μεγάλο πορτοκαλί κι ένα άσπρο μικρό και μισό από τούτο το ροζάκι. Το χέρι της τρέμει ελαφρά. Κάνει όμως ότι δεν το βλέπει. Παρατηρεί τα νεροπότηρα με τους σπόρους στο μάρμαρο του νεροχύτη. Απρόσμενα, χωρίς κανέναν εμφανή συνειρμό, θυμήθηκε τον κιτρινομύτη κότσυφα, από κλαδί σε κλαδί στα δέντρα του γειτονικού κήπου, και τη φιλία της κάποτε μαζί του. Κοιτάζει έξω από το παράθυρο. Εδώ και χρόνια έχει ξεραθεί η λεμονιά. Τη βλέπει πάλι χιονισμένη. Ακούει τα γέλια τους. Πριν από πόσα χρόνια; Ήταν έγκυος και την τραβούσε με την οχτάρα ο άντρας της. Δεν είχε έρθει ακόμη το βίντεο στην Ελλάδα. Γεναριάτικο, βροχερό πρωινό. Ποιοι θα τη θυμηθούν σήμερα; Η Μέλπω, σίγουρα. Άραγε θα θυμηθεί το παιδί να της τηλεφωνήσει; Θα τη φιλήσει στα μαλλιά ο άντρας της όταν ξυπνήσει; Δεν ήταν λίγες οι φορές που αυτός πρώτος τής το θύμιζε μ' ένα φιλί. Προσέχει μη ρίξει, ως συνήθως, τον καφέ έξω από το φίλτρο της παμπάλαιας καφετιέρας. Προσπαθεί να είναι ήρεμη. Μήπως θα 'πρεπε να έχει ήδη πεθάνει; Δεν πεθαίνει όμως κανείς προτού να 'ρθει η ώρα του. Κι αν προκαλέσει την ώρα της; Αν ξεκινούσε απεργία πείνας; Να ξαπλώσει στο κρεβάτι και να αφεθεί. Ούτε φαΐ, ούτε νερό. Μια κουβέντα είναι. Εφόσον ξυπνάει από τα χαράματα κι αμέσως θέλει να σηκωθεί. Θέλει να μάθει τι έγινε στον κόσμο, τι γίνεται. Θα μπορούσε να έχει περάσει όλη της τη ζωή με την αχνιστή κούπα του καφέ μπροστά σε μια οθόνη να παρατηρεί από τη μιαν άκρη του πλανήτη ως την άλλη. Κι όσο περνούν τα χρόνια, αισθάνεται όλο και πιο ζωηρά μέσα της την περιφορά και την περιστροφή της Γης.

Πώς να πεθάνει όταν τόσο πολύ έχει δεθεί με τους σπόρους; Δεκάδες γλαστράκια στο μπαλκόνι με σπόρους. Και τα ποτήρια αραδιασμένα στο μάρμαρο του νεροχύτη. Φυτρώνουν, βλασταίνουν, ανθίζουν, μαραίνονται, μουχλιάζουν, ξεραίνονται. Και πάλι από την αρχή. Αντί όμως να τη διδάξει ο βιολογικός κύκλος τους, την έχει υποδόρια διαποτίσει με τη νοοτροπία του σπορέα. Αλαζονεία; Οι τσέπες της μάλλινης λαδιάς ρόμπας της είναι γεμάτες σπόρους. Ξεχωρίζει τρία τσιγάρα από το πακέτο που έχει κρύψει στο ντουλάπι με το καλό σερβίτσιο στην κουζίνα. Θα τα καπνίσει όσο να ξυπνήσει ο άντρας της. Το κάνει έτσι, μόνο και μόνο για να καπνίζει λιγότερο, ότι της απαγορεύεται, τάχα μου, να καπνίζει περισσότερα από πέντε τσιγάρα την ημέρα. Πρωί, μεσημέρι, απόγευμα, βράδυ. Κι έπειτα, όταν το σπίτι έχει ησυχάσει, βυθισμένο στη σιωπή, μένει για λίγο, χωρίς καμιά σκέψη, να καπνίσει με τελετουργική επισημότητα το τελευταίο της ημέρας. Θα 'ρθει όμως κάποτε και η στιγμή, δεν θα 'ρθει; θα 'ρθει η στιγμή, και δεν θα το 'χει προαισθανθεί, που θα καπνίσει το τελευταίο τσιγάρο της ζωής της.

Μπαίνει στο ημιφωτισμένο καθιστικό. Ανοίγει

την τηλεόραση. Κάθεται στη θέση της, βολεύεται στα μαξιλάρια, με τον καφέ αχνιστό μπροστά της, με το τηλεκοντρόλ δίπλα της, με το πρώτο κρυφό τσιγάρο της ημέρας στο χέρι. Ήσυχη. Χωρίς πόνους, χωρίς αγωνία. Έστω και αν δεν της είναι δύσκολο να μαντέψει ότι θα συγχυστεί πάλι. Σπανίως όμως χάνει την πρωινή ενημερωτική εκπομπή. Η δημοσιογράφος Σωφρονίου θα έχει σήμερα καλεσμένο τον ριζοσπάστη Μέγα Αναμορφωτή, προκειμένου να εκθέσει στο τηλεοπτικό κοινό το καινοτόμο και μεγαλόπνοο, όπως η ίδια χαρακτηρίζει, πρόγραμμά του. Από προχθές το διαφημιστικό τρέιλερ ανά μισάωρο ενημέρωνε τους τηλεθεατές για την ιστορικής σημασίας εκπομπή. Μελαμψός, λεπτός, προσηνής ο Αναμορφωτής, και με επιρροή, καθώς λένε, στις γυναίκες. Κι ας την απασχόλησε στο παρελθόν τι ακριβώς θα μπορούσε να σημαίνει για την υστεροφημία ενός αναμορφωτή η επιρροή του στις γυναίκες, απάντηση πειστική δεν μπόρεσε να δώσει.

Στόχος απαρέγκλιτος, έχει αρχίσει με υπαλληλικό επαγγελματισμό την εισαγωγή της η Σωφρονίου, αλλά και με τη δοκιμαζόμενη θηλυκότητά της παρά πόδα, στόχος απαρέγκλιτος της επόμενης δεκαετίας να κρατηθεί οπωσδήποτε σε λογικά επίπεδα ο μέσος όρος ζωής. Αδιαπραγμάτευτη επιδίωξη: Ο άνθρωπος να πεθαίνει, και με την ιδέα ότι πεθαίνει πλήρης ημερών, στα πενήντα πέντε του χρόνια. Αυτό τι σημαίνει; Ότι γύρω στα πενήντα του θα πρέπει να προσβάλλεται από κάποια ασθένεια θανατηφόρα. Άλλοτε δεν υπήρχαν πολλές θανατηφόρες. Σήμερα έχουν παρασκευαστεί κάμποσες. Ανάλογα με το επάγγελμα. Είναι καλό να γνωρίζει ο καθένας μας από ποια θανατηφόρα θα προσβληθεί. Θα ασχολούνται με την περίπτωσή του για πέντε χρόνια οι νοσοκομειακοί γιατροί, ώστε να προωθείται και αυτός ο κλάδος της επιστήμης, να προοδεύουν και οι φαρμακοβιομηχανίες. Έπειτα ο ασθενής θα είναι πανέτοιμος για το μεγάλο, το οριστικό φευγιό, και, όπως ήδη προανέφερε, με την πεποίθηση ότι φεύγει πλήρης ημερών.

Στα τέλη του περασμένου αιώνα, ο μέσος όρος ζωής για τους άντρες ήταν τα ογδόντα, και τα ογδόντα πέντε έως ενενήντα για τις γυναίκες. Αυτό είχε ως αποτέλεσμα να κινδυνεύει το υψηλό βιοτικό επίπεδο, συγκριτικά με τις άλλες ηπείρους, στην Ευρώπη. Γεννιόταν ο άνθρωπος και δεν έλεγε να πεθάνει. Έπαιρνε τη σύνταξή του γύρω στα εξήντα με εξήντα πέντε και όφειλε κατόπιν το κράτος επί δεκαπέντε ή και επί είκοσι ολόκληρα χρόνια να συντηρεί την αντιπαραγωγική παραμονή του στη ζωή. Η ευημερία όμως, αναφαίρετο δικαίωμα του πολίτη, δεν θα μπορούσε να διαφυλαχθεί με αυτά τα δεδομένα. Τι έπρεπε να γίνει; Να βυθιστεί η Ευρώπη στην ανέχεια; Να γίνει τριτοκοσμική; Έπρεπε πάση θυσία να ελαττωθεί ο μέσος όρος ζωής. Έπρεπε να αρχίσει ο άνθρωπος να πεθαίνει πιο γρήγορα. Δυστυχώς δεν ήταν ακόμη ώριμες οι συνθήκες. Κανείς δεν τολμούσε να διατυπώσει ανοιχτά αυτή την άποψη πριν από μερικά χρόνια. Υπήρχαν, εξάλλου, και πολλές επί μέρους διαφωνίες. Σήμερα, ευτυχώς, όλοι οι ειδικοί συμφωνούν ως προς αυτό. Ο άνθρωπος στα εξήντα πέντε του, από κάθε άποψη, είναι ώριμος πλέον να αναχωρήσει. Αλλά τι εξήντα πέντε, τι πενήντα πέντε; Γι' αυτή την κρίσιμη δεκαετία οφείλουν όλοι οι πρωτοπόροι, οι συνεπείς οραματιστές να αγωνιστούν.

Ακριβώς, αγαπητή μου, επικροτεί με αναστοχαστική διάθεση ο Μέγας Αναμορφωτής. Και διευκρινίζει χαμογελαστός: Δεν κομίζομεν γλαύκαν, ανακυκλώνονται απλώς οι θεωρίες, αναπροσαρμόζονται, όπως πολύ εύστοχα, αλλά και γλαφυρά, αναδείξατε. Σε προηγούμενους αιώνες είχε τεθεί επί τάπητος, και με σοβαρά επιχειρήματα, θα έλεγα, ο έλεγχος των γεννήσεων. Σήμερα οι γεννήσεις είναι εξαιρετικά επωφελείς για την Ευρώπη. Αντιθέτως, η μακροημέρευση είναι άκρως επιβλαβής. Μπορείτε εύκολα, δεν αμφιβάλλω, να αντιληφθείτε τα σημαντικά οφέλη από την έγκαιρη μετάστασή μας στο βασίλειο των σκιών. Πρώτον, αποτελεσματική καταπολέμηση της ανεργίας. Δεύτερον, τα ασφαλιστικά ταμεία, τα οποία ως γνωστόν κινδυνεύουν να καταρρεύσουν, εφόσον δεν θα είναι αναγκασμένα να επιστρέφουν υπό μορφήν συντάξεως τις εισφορές των εργαζομένων, θα έχουν τη δυνατότητα να επιδίδονται ανεμπόδιστα σε επενδύσεις, συμβάλ-

229

κειμένου να ενταχθεί επιτέλους η χώρα στην ΟΝΕ, παραμένει πάντα η αναδόμηση, η αναδιάρθρωση, η αναπροσαρμογή του ελληνικού αλφαβήτου. Κυκλοφορεί, υπενθύμισε, εδώ και μέρες ένα κείμενο από κάθε άποψη συνετό, μεστό, συγκροτημένο. Οι περισσότεροι διανοούμενοι και καλλιτέχνες, σαν έτοιμοι από καιρό, το υπέγραψαν ασμένως. Αντιδρούν μόνο ελάχιστοι, είναι αλήθεια, οπισθοδρομικοί στην πλειοψηφία τους, αγκυλωμένοι, θρησκόληπτοι. Ο Αναμορφωτής επιπλήττει χαμογελαστός τη Σωφρονίου: Παρακαλώ, αγαπητή μου, όχι, δεν επικροτώ χαρακτηρισμούς ανάρμοστους. Αργά ή γρήγορα όλοι θα υπερθεματίσουν, εφόσον όλοι θα δελεαστούν. Η Σωφρονίου συγκατανεύει με νόημα.

Και συνεχίζει ο Αναμορφωτής μελιστάλαχτος, με διδακτική διάθεση, να αραδιάζει τα πλεονεκτήματα από την αναπροσαρμογή του ελληνικού αλφαβήτου. Θα ανοίξει, επιτέλους, ανεμπόδιστη η πορεία μας προς την πνευματική Ευρώπη! Ξέρετε γιατί δυσκολεύεται τόσο η ουσιαστική ένωσή μας; Διότι αντιστεκόμαστε γλωσσικά. Δεν είναι δυνατόν να είμαστε η μόνη χώρα στην Ένωση που δεν χρησιμοποιεί το λατινικό αλφάβητο. Σκεφτείτε το. Από τις αρχές του περασμένου αιώνα, ο Τούρκος ηγέτης Κεμάλ είχε αντιληφθεί ότι το μέλλον της χώρας του πρέπει να αναζητηθεί στην Ευρώπη. Πώς όμως θα πορευόταν η Νέα Τουρκία στην Ευρώπη; Με αραβικό αλφάβητο; Σαν αραβικό, σας πληροφορώ, είναι και το δικό μας. Με την καθιέρωση του

λατινικού αλφαβήτου η ελληνική γλώσσα θα τονω-
θεί, θα αναβαπτισθεί. Τι νόημα έχει να χρησιμοποι-
ούμε ένα αλφάβητο που όχι μόνο δυσκολεύει τους
ξένους, αλλά κι εμάς τους ίδιους, τα παιδιά μας;
Φανταστείτε με πόση ευκολία θα μαθαίνουν τα ελ-
ληνόπουλα τη μητρική τους γλώσσα, όταν επιτέ-
λους θα τη γράφουν με τα ίδια γράμματα που γρά-
φουν και τα απαραίτητα αγγλικά τους. Ποιος θα
μπορούσε να το αμφισβητήσει; Ποιος θα τολμούσε
να ισχυριστεί ότι δεν είμαστε κι εμείς πατριώτες;
Λαός που δεν προσαρμόζεται στις διεθνείς εξελί-
ξεις, που δεν αναπροσαρμόζεται πολιτισμικά, είναι
προορισμένος να μαραζώσει. Ας υπάρχουν οι συ-
μπαθείς νοσταλγοί. Ποιο είναι το πρόγραμμά τους;
Ποια τα οράματα; Οι στόχοι; Τι προτείνουν; Την
απομόνωση; Αλλά αυτό ισοδυναμεί με αυτοκτονία.
Αυτό θέλουν; Είναι όμως λάθος τακτικής να τους
προκαλούμε με βαρείς χαρακτηρισμούς. Πρέπει να
τους δελεάζουμε, να τους κολακεύουμε, ακόμη και
να τους χρησιμοποιούμε. Μ' ένα βραβείο που θα
τους δώσουμε, μια θεσούλα σε κριτική επιτροπή,
έναν έπαινο, μιαν επιχορήγηση, μιαν υποτροφία, σας
βεβαιώ, αυτή είναι η φύση του ανθρώπου, θα αρχί-
σουν όλοι αυτοί που αντιδρούν σήμερα να είναι αύ-
ριο ένθερμοι οπαδοί. Και μη λησμονούμε. Πάντοτε,
σε όλες τις κοινωνίες και σε όλες τις εποχές, υπήρ-
χαν οι νοσταλγοί αντιφρονούντες. Σταδιακά όμως
η νοσταλγία, σας το εγγυώμαι, θα εκλείψει ακόμη
και ως έννοια. Τι ειπώθηκε προηγουμένως; Όταν οι

άνθρωποι αναχωρούν εγκαίρως, και με την ιδέα ότι αναχωρούν πλήρεις ημερών, οι λεωφόροι της προόδου θα ανοίγονται απρόσκοπτα προς μιαν πολύχρωμη παγκοσμιοποίηση χωρίς επιβλαβείς στο πλανητικό σύνολο ιδιαιτερότητες. Χωρίς εμμονές και χωρίς εμπάθειες. Χωρίς δισταγμούς και αναχρονιστικές αγκυλώσεις...

Αναζητάει με το βλέμμα το τηλεκοντρόλ. Κάπου θα παράπεσε, μπορεί και μπρος στα μάτια της, ως συνήθως, και να μην το βλέπει. Προσέχει ότι έχει σφίξει σε γροθιά το αριστερό της χέρι με τον αντίχειρα λυγισμένο προς την παλάμη, χωμένο ανάμεσα στα δάχτυλα. Το ίδιο δεν έκανε στα τελευταία και η μάνα της; Το ίδιο και η γιαγιά της. Και σίγουρα η προγιαγιά της, αν την είχε γνωρίσει. Και η προγιαγιά της ιστορικής προγιαγιάς της. Αλλά δεν είχε τη διάθεση να αναρωτηθεί πώς και γιατί εγγράφονται πανομοιότυπα από γενιά σε γενιά οι ενστικτώδεις συσπάσεις του φόβου. Ούτε για το σπήλαιο και την προπατορική θαλπωρή γύρω από τη φωτιά είχε τη διάθεση να σκεφτεί. Τα ήξερε, και πολύ καλά μάλιστα, όλα αυτά. Ξεσφίγγει τη γροθιά, τεντώνει τα δάχτυλα. Θα 'ρθει όμως κάποτε και η στιγμή, δεν θα 'ρθει; θα 'ρθει η στιγμή, και δεν θα το 'χει προαισθανθεί, που δεν θα μπορεί πια να ξεσφίξει τη γροθιά της, να τεντώσει τα δάχτυλα. Αποφασίζει να σηκωθεί και να κλείσει την τηλεόραση. Αρκετά για σήμερα, μονολογεί. Ανάβει και το τρίτο κρυφό τσιγάρο της ημέρας. Ίσως χρειαστεί και τέταρτο κρυφό σήμερα. Ακόμη και πέμπτο. Αν τη βοηθούσαν οι δακρυγόνοι αδένες της, πιθανόν να είχε αρχίσει από ώρα να κλαίει. Νέα, πολύ το συνήθιζε. Έρχεται στην κουζίνα, παρ' όλη την παγωνιά ανοίγει το παράθυρο για να φύγει η κάπνα, μετά την πόρτα του ψυγείου, παίρνει από το ράφι μιαν αμπούλα φυσικές σταγόνες για τα μάτια. Για πόσο ακόμη; Αν του χρόνου δεν θα μπορεί να σύρει τα πόδια της; Την αποσπά το κάλεσμα της τηλεφωνικής συσκευής. Αφήνει την αμπούλα στο μάρμαρο του νεροχύτη, κάνει να τρέξει προς το καθιστικό. Παραπάτησε, αλλά ευτυχώς. Έφτασε σώα, κάθεται κοντά στο τηλέφωνο, παίρνει από δίπλα το τασάκι, το βολεύει στα γόνατά της, σηκώνει το ακουστικό.

Δεν πρόλαβε ούτε καν να την καλημερίσει. Παρακολουθείς ό,τι παρακολουθώ; άρχισε η Μέλπω ξαναμμένη: Το πρόσεξες ασφαλώς κι εσύ, οι ποντικομαμές έριξαν και τα δυο θέματα μαζί! Σου λένε: Ποιος νοιάζεται σήμερα για το ελληνικό αλφάβητο; Αντιθέτως όλοι νοιάζονται για τη ζωούλα τους. Θα αρχίσουν, λοιπόν, να διαμαρτύρονται όλοι για τη ζωούλα τους, κι εν τω μεταξύ εμείς θα περάσουμε ανεμπόδιστοι το νομοσχέδιο για το γλωσσικό. Από τότε που ήμασταν παιδιά δεν το γυρόφερναν διάφοροι; Μ' ακούς; μουγκάθηκες; πες κάτι. Σαν τι; μουρμούρισε, αφού με πήρες μονότερμα... Το απόγευμα, συνέχισε ορμητική η Μέλπω, χωρίς να δώσει σημασία στο σχόλιό της, θα κατεβούμε οπωσδήποτε στη διαδήλωση! Εντάξει, συμφώνησε, αλλά πώς; με αναπηρικό καροτσάκι; Δεν έχει πώς, αντέδρασε η Μέλπω, και χρόνια σου πολλά, σκέψου το, η πιο ωραία επέτειος γενεθλίων!

Βγαίνει στο μπαλκόνι. Έχει δεν έχει κάποια σχέση, της πάνε δεν της πάνε όλα τούτα τα τετριμμένα, χολιγουντιανά οργουελικά, κόβει ένα φυλλαράκι λουίζα, το τρίβει ελαφρά στα δάχτυλα, μυρίζει, ψάχνει έπειτα στον ουρανό. Το φεγγάρι σ' ένα δυο λεπτά το πολύ θα έχει κρυφτεί πίσω από την ταράτσα της τριώροφης κατοικίας. Το παρατηρεί επίμονα. Είναι σίγουρη ότι ο κιτρινομύτης κότσυφας κουρνιάζει λίγα μέτρα πιο κει, σ' ένα από τα δέντρα του διπλανού κήπου. Να κλάψει πάλι ή να μην κλάψει; Αλλά γιατί; Εφόσον οι αλλαγές γίνονται πάντοτε χωρίς να τις αντιλαμβάνεται ο άνθρωπος. Με αναισθητικό. Περνούν αθόρυβα και αβίαστα, ενσωματώνονται στη ζωή του, χωρίς να καταλαβαίνει την αλλοίωση, τη διαφορά, τη φθορά, τη διαφθορά. Σαν χθες ήταν που περπατούσε κι έκλαιγε κατακαλόκαιρο σ' εκείνο τον άδεντρο χωματόδρομο. Κι όμως έχουν περάσει πάνω από τριάντα χρόνια. Τι συνέβη εν τω μεταξύ; Ήρθαν τα πάνω κάτω, άλλαξε ο κόσμος, κουρελιάστηκαν οι γεωγραφικοί χάρτες. Αλλάζει όμως η φύση του ανθρώπου; Μπορούσε να προβλέψει ότι στο τέλος του εικοστού αιώνα θα ζούσε και πάλι την εμπορευματοποιημένη αναβίωση του μύθου του Γκεβάρα και ότι λίγα χρόνια αργότερα θα βομβαρδιζόταν μια βαλκανική χώρα στο όνομα της ευρωπαϊκής δημοκρατικής παράδοσης και των ατομικών, απαραβίαστων, δικαιωμάτων; Μπορούσε να προβλέψει τον πολιτικό αμοραλισμό της Τρίτης Αριστεράς; Φοιτήτρια στη Φιλοσοφική τότε, με τον αρχαιολόγο, πανεπιστημιακό δάσκαλο και ακαδημαϊκό Σπύρο Μαρινάτο να πλέκει το εγκώμιο των *φιλοκινδύνων, των αγαθών, των φιλοπάτριδων ανδρών του καθεστώτος της 21ης Απριλίου*. Προβάλλουν σήμερα στιγμιότυπα από διάφορες εμφανίσεις, εκδηλώσεις και ομιλίες τους. Παλιάτσοι τελευταίας διαλογής. Έτσι φώναζαν; Έτσι κουνούσαν τα χέρια; Αυτά λέγαν; Κωμικά μονόπρακτα, σκετσάκια μπρεχτικά. Και οι κομπάρσοι στις κερκίδες. Οι κλάκες, οι φιλήσυχοι, οι μουλωχτοί της επαύριον. Ποιος όμως γελούσε; Ούτε τηλεόραση είχε να τους δει, ούτε ραδιόφωνο να τους ακούσει. Τι έκανε; Πίστευε ότι ήταν μπροστά και πέρα από τα γεγονότα. Έπειτα; Αν δεν βρεθούν άλλοι τρόποι και αν δεν προσδιοριστούν οι στόχοι και αν δεν επαναπροσδιοριστούν τα οράματα, τίποτα. Δεν ξυπνάει όμως κανείς ένα πρωί με τους τρόπους σερβιρισμένους στο τραπέζι. Μέσα από τον αγώνα οι τρόποι. Και μέσα από τη θεωρία η πράξη. Αλλά ποια θεωρία; Ενάντια στην παγκοσμιοποίηση του Κεφαλαίου το Διεθνές Δίκτυο Εργαζομένων. Να απολύονται, δηλαδή, οι εργαζόμενοι στην Ελλάδα και να ξεσηκώνονται για συμπαράσταση οι συνάδελφοί τους στο Χονγκ Κονγκ! Εσύ δικαιούσαι να τα οραματίζεσαι αυτά. Αυτή τον υπολογιστή της δεν μπόρεσε ποτέ παρά μόνο ως έξυπνη γραφομηχανή να τον χρησιμοποιήσει. Τόσο χαμηλής νοημοσύνης υπήρξε και με τόσο περιορισμένη ικανότητα διείσδυσης στο μέλλον. Αλλά κι έτσι, πάντα μαζί σου.

(1999)

Από τον χυμό των αμυγδάλων του Θεού

ΒΙΒΛΙΟΘΗΚΗ ΤΟ ΕΠΙΠΛΟ. Βαρύτιμο, αρχαίας υπομονής ξυλόγλυπτο από το σανιδένιο πάτωμα ως τις γύψινες διακοσμήσεις στο ταβάνι του νεοκλασικού. Βιβλιοθήκη τζαμωτή στο γραφείο του δικηγόρου. Βιβλιοθήκη με βαθιά, ψηλά ράφια στο ιατρείο. Βιβλιοθήκη του σοφού, βιβλιοθήκη του δασκάλου. Βιβλιοθήκη από φορμάικα, από καπλαμά, από λευκόξυλο. Ή μήπως σύνθετο σουηδικό στο σαλόνι; Ή μήπως ρουστίκ στο εξοχικό; Είναι και τα ράφια χωρίς ράχη στον τοίχο. Είναι και οι εντοιχισμένες βιβλιοθήκες με ισοϋψείς τόμους στη σειρά. Μαφιόζος είναι; Τραπεζίτης; Αστός, μικροαστός; Πώς θα γεμίσει ο σκηνογράφος τους τοίχους; Σε όλες τις ταινίες απαραίτητη η βιβλιοθήκη. Κι επάνω στα ράφια τα βιβλία κάθετα ή πλαγιαστά ή οριζόντια. Βιβλία χαρτόδετα, δερματόδετα. Μικρά, μεγάλα. Είναι καλά και στη μόνωση, είναι ευχάριστες και στο μάτι οι ράχες τους. Ιδίως αν είναι χρωματιστές. Από τις ράχες προπαντός θα εξαρτηθεί και

το στιλ του σαλονιού. Δερματόδετες ράχες ομοιό-
μορφες με διακριτικά χρυσά γράμματα. Οικογενει-
ακή παράδοση, τα βιβλία του παππού, του πατέρα,
της Βιρτζίνια Γουλφ. Έπειτα η βιβλιοθήκη-καπνι-
στήριο. Εδώ θα κλειστούν οι συμφωνίες, θα αποφα-
σιστούν οι σφαγές, θα επισφραγιστούν οι παράνο-
μοι έρωτες, θα ριγήσουν οι διάνοιες, θα ζωντανέ-
ψουν τα οράματα. Αισχύλος, Σέξπιρ, Δάντης, Χέ-
γκελ, Σοπενχάουερ, Καντ! Είναι και η βιβλιοθήκη
του Κόμη Δράκουλα. Είναι και η βιβλιοθήκη του
Μαρκησίου Ντε Σαντ. Η βιβλιοθήκη του Μαρξ, του
Μπόρχες, του Λέοντος Τολστόι. Αλλά και οι κοινω-
φελείς βιβλιοθήκες. Η βιβλιοθήκη του χωριού, του
σχολείου. Οι δανειστικές. Οι εθνικές, οι δημοτικές,
οι πανεπιστημιακές. Είναι και τα υπόγεια των
ιδρυμάτων. Τα δαιδαλώδη κτίσματα. Χώροι ημι-
φωτισμένοι, κατακόμβες στη μούχλα. Διευθυντές
με την τήβεννο του Θεού, βιβλιοθηκάριοι κλειδο-
κράτορες κατηφείς. Η βιβλιοθήκη της Βαβέλ, τα
άπειρα εξάγωνα, οι πεντάλφες, το σύμπαν. Βιβλιο-
θήκες που κάηκαν. Πάπυροι και περγαμηνές, η νυ-
χτερίδα και η κουκουβάγια, το κουλουριασμένο φί-
δι, τρυφεροί νεαροί στα μοναστήρια, το καλάμι και
το φτερό, μελάνη μαύρη, μελάνη κόκκινη, το αίμα
του ζώου, καμπουριασμένοι αντιγραφείς, λαθρανα-
γνώστες φιλήδονοι, ο πλοίαρχος Νέμο και οι δώδε-
κα χιλιάδες πανομοιότυπα δερματόδετοι τόμοι του
που τον συνδέουν με τον Επάνω Κόσμο. Είναι όμως
και τα βιβλία με τις πλαστικές ράχες και τα επίχρυ-

σα γράμματα στο σαλόνι κοντά στην τηλεόραση.
Μαγειρικές, ζαχαροπλαστικές, κηπουρικές, βότανα, *Πώς να μεγαλώσω το παιδί μου*, κοινωνικοπολιτικά εγχειρίδια, *Ο γιατρός στο σπίτι σας*, για το σεξ, για τον άντρα γενικώς, για το σπίτι και τη διακόσμησή του, για τον γάμο σας και πώς να τον σώσετε, *Ιστορία των Θρησκειών, Μεταπολεμική παγκόσμιος Ιστορία*, η Εγκυκλοπαίδεια Δομή. Λουντέμης, Καζαντζάκης, Κορδάτος, Παλαμάς, Κοραής, στα χέρια χονδρεμπόρων. Είναι και τα φτηνά των φοιτητών, βιβλιαράκια-μπροσούρες, φύρδην μίγδην στα ράφια. Είναι και οι θεωρίες που τυπώθηκαν. Τα αλφάβητα, οι γραμματικές, τα λεξικά, τα συντακτικά, οι διάλεκτοι, οι γλώσσες. Η αγρύπνια, οι σημειώσεις, τα ερωτηματικά, οι τσακισμένες σελίδες, ο λεκές του καφέ στη σελίδα, το κάψιμο από την καύτρα του τσιγάρου. Είναι και οι διαλυμένες βιβλιοθήκες των πεθαμένων, οι εκποιημένες αυτών που πτώχευσαν, οι λεηλατημένες αυτών που διώχτηκαν. Είναι και ο παλαιοπώλης που σώριασε στο πάτωμα ανάκατα τους θησαυρούς.

Έξω ψιλόβροχο. Η σόμπα καίει, ο επιτηρητής πίσω από τον πάγκο νυσταγμένος. Αντιγράφει στο ριγωτό χαρτί από το χοντρό μαύρο βιβλίο. Μυρίζει την υγρασία. Ο σκονισμένος γλόμπος φωτίζει ασθενικά την αίθουσα. Ακούει το μολύβι της στο χαρτί. Όσα δεν καταλαβαίνει, τα παραλείπει. Ο επιτηρητής του αναγνωστηρίου την κοιτάζει. Δεν ξέρει ότι επισήμως το επάγγελμά του είναι βιβλιοθηκάριος. Ούτε μπορεί να προβλέψει ότι θα έρθει η εποχή που θα μυθοποιήσει τις επισκέψεις της σ' αυτόν τον χώρο. Ότι θα επινοήσει έναν βιβλιοθηκάριο σοφό που θα τη διδάξει την απόλαυση της ανάγνωσης. Αντιγράφει για τη ζωή του Διονυσίου Σολωμού. Πού γεννήθηκε και πότε, πού πέθανε, πού σπούδασε. Το βλέμμα του επιτηρητή-βιβλιοθηκάριου την τρομάζει. Μικρά, καφετιά, πονηρά μάτια. Αν δεν ήταν αυτή στην αίθουσα, δεν θα ήταν κι αυτός αναγκασμένος να την επιτηρεί, μπορεί και να πήγαινε, επομένως, στο διπλανό καφενείο με τους φίλους του για καμιά πρέφα. Αν είχαν εγκυκλοπαίδεια στο σπίτι, δεν θα ήταν υποχρεωμένη να βρίσκεται εδώ, στο αναγνωστήριο της Δημοτικής Βιβλιοθήκης, να υφίσταται το τρωκτικό βλέμμα του. Αλλά δεν είχαν ούτε ένα βιβλίο στο σπίτι. Μόνο τη δική της χαρτόκουτα με τους θησαυρούς: παραμυθάκια του δίφραγκου, την απαθή με τις μπούκλες Μικρή Λουλού, το Ασχημόπαπο του Άντερσεν και το Αηδόνι του Βασιλιά, τον Μικρό Ήρωα. Έπειτα πάνω πάνω στη χαρτόκουτα τον Βραχόκηπο του Καζαντζάκη, το πρώτο της βιβλίο, το ανεκτίμητο. Έξω η βροχή έχει δυναμώσει, ο επιτηρητής πλησιάζει, τη ρωτάει πού μένει. Αν έμενε κάπου εδώ κοντά, θα μπορούσε να τη συνοδέψει με την ομπρέλα του ως το σπίτι, να μη βραχεί. Σε δέκα λεπτά το πολύ πρέπει να κλείσει. Πρόσεχε, τη συμβούλευε η μάνα της, τι εί-

242

ναι εκεί που πας; Μεγάλη αίθουσα με πάγκους και
με καρέκλες. Ράφια παντού, δεν υπάρχουν τοίχοι,
μόνο βιβλία, κι είναι εκεί ένας που τα δίνει σ' όποιον
τα ζητάει. Του λένε το βιβλίο που θέλουν κι αμέσως
αυτός το βρίσκει και τους το φέρνει. Διότι όλη η τα-
κτοποίηση των βιβλίων υπάρχει στο κεφάλι του.
Πρόσεχε, επιμένει η μάνα της. Θα την περιμένει με
την ομπρέλα της η μάνα της, του λέει. Γυρίζει αυτός
και κάθεται στο γραφείο του. Τα μάτια του επίμο-
να πάνω της. Τι σκέφτεται γι' αυτήν, τι θέλει; Μα-
ζεύει τα χαρτιά της και σηκώνεται. Τον καληνυχτί-
ζει και μεταφέρεται μούσκεμα στην οδό Καλλινί-
κου Σαρπάκη 16. Ανοίγει από μόνη της αθόρυβα η
πόρτα, χωρίς δεύτερη σκέψη χώνεται μέσα. Προθά-
λαμος πλακόστρωτος, παγωμένος, σκοτεινός. Μάρ-
μαρα μαυρισμένα, ραγισμένα. Ξέρει όμως ότι θα
ξυπνήσει και ότι θα βρεθεί στον ασφαλή, ζεστό χώ-
ρο του σπιτιού της, τριάντα εφτά χρόνια αργότερα,
με τον πειθήνιο υπολογιστή της να σιγοβράζει. Ανε-
βαίνει ολόστεγνη την ξύλινη σκάλα, ακούει το τρί-
ξιμο. Στην κορυφή της σκάλας επίσημος, θεατρικός,
ντυμένος στα λευκά.

Είναι δεκαπέντε ετών, ανεβαίνει όμως στον ύπνο
της σαν να είναι πενήντα δύο. Ξέρει ότι η οδός
Καλλινίκου Σαρπάκη έχει μετονομαστεί σε οδό
Μάλμου για να τιμήσει τον Αντόνιο Μάλμο τον Ιτα-
λό. Και ξέρει ότι ο Μάλμος, όπως τον έλεγαν, ο

ασπροφορεμένος που περιμένει στο κεφαλόσκαλο, έχει εδώ και πολλά χρόνια πεθάνει. Μόνη ή με παρέα ή με το σχολείο είχε βρεθεί στη Βιβλιοθήκη του; Φορούσε δαχτυλίδι στο δεξί χέρι, μεσαίο δάχτυλο ή παράμεσο; Περιποιημένος, χαμογελαστός. Ή μήπως κάνει λάθος; Σγουρά μαύρα μαλλιά με χωρίστρα στη μέση. Γυαλιστερά, αλειμμένα μπριγιαντίνη. Τις περιμένει για να τις ξεναγήσει στους θησαυρούς του. Μικρά δωμάτια, ανισόπεδα, ημιφωτισμένα. Μούχλα και λιβάνι; Και σπέρμα; Και απόκρυφη απλυσιά; Πώς δεν βουλιάζει το πολυώροφο με τα σανιδένια πατώματα; Παλαιά βιβλία, παλαιά αντικείμενα, παλαιοί πίνακες, παλαιά όλα, ο *παλαιάνθρωπος*, όπως τον χλεύαζαν. Δικαίως ή αδίκως; Συνεργάτης και καταδότης ή μόνο συνεργάτης ή μόνο καταδότης ή μόνο θαυμαστής των Γερμανών; Ας το αφήσει καλύτερα.

Ξεκίνησε, καθώς λέει, συγκινημένος και καμαρωτός, από το ασίγαστο πάθος του. Μια προσωπική συλλογή που έμελλε να γίνει η πρώτη βιβλιοθήκη στην πόλη, η Μάλμειος. Εν συντομία το ιστορικόν της: *Ιδρυθείσα εν έτει 1909, από το καλοκαίρι του 1927 η Μάλμειος Βιβλιοθήκη και Πινακοθήκη εις την υπηρεσίαν των συμπολιτών. Στεγαζόταν στην Χαμάλμπαση, πάροδο της Κανεβάρο. Το 1941, με τους βομβαρδισμούς των Γερμανών, η οικία κατέρρευσε, καταστράφηκε και μέρος της Πινακοθήκης. Έντεκα πίνακες μεγάλων ζωγράφων.* Προσπαθεί να είναι σοβαρή, να μην κρυφογελάει,

να μην πειράζει τη διπλανή της. Υπάρχει μια συνο-
μήλικη δίπλα της, την αισθάνεται, αλλά δεν τη βλέ-
πει καθαρά, μπορεί να είναι η Γωγώ ή η Φωφώ, η
Ρίτσα ή η Νίτσα. Ονόματα. Πού τις θυμήθηκε, πώς
εισόρμησαν οι ξεχασμένες συμμαθήτριες στον ύπνο
της; Μετά τον πόλεμον η Βιβλιοθήκη επανασυνε-
στήθη, συγκεντρωθέντων και πάλιν των διαφόρων
βιβλίων, πινάκων, ευρημάτων, εις το σημερινόν
ιδιόκτητον οίκημα επί της Καλλινίκου Σαρπάκη
και ήρχισεν επαναλειτουργούσα ως και πρότερον,
ενώ είχεν εν τω μεταξύ πλουτισθεί και διά πολλών
άλλων εισέτι βιβλίων και διαφόρων άλλων ιστορι-
κών και μουσειακών ευρημάτων.
Επάνω σ' ένα έπιπλο ξυλόγλυπτο, ιδού το πα-
λαιόν χειρόγραφον. Πρώτον κατά σειράν εισαγω-
γής εις την Βιβλιοθήκην μας, παρακαλώ, μόνον να
βλέπετε, μην αγγίζετε. Αυτόγραφον φιρμάνιον
του Σουλτάνου Αχμέτ του Δ΄, έτους 1723. Αραβι-
στί, με πτερόν, μελάνη σινική, με απορροφητικόν
την χρυσόσκονη, το θέμα περί Κρήτης, ανεγνώ-
σθη εις Χανιά υπό του τότες Πασά εις το Παλάτι
Καστελλίου με λαϊκάς και επισήμους τελετάς,
παρελάσεις, πυροβολισμούς. Πώς ζούσε; Πώς είχε
βρεθεί στην πόλη; Ο Gentilissimo Signore Antonio
Malmo. Ψηλά στον τοίχο η φωτογραφία του. Με
μουστάκι, ωραίος άντρας. Αλλά πότε ένας άντρας
είναι ωραίος; Ο Μάλμος συνέχιζε να επικαλείται
την προσοχή τους, κοίταζε θαμπωμένη, τόσα τα
επίχρυσα, τόσα τα μαραμένα, τα επισφαλή. Εις το

υδραγωγείον Χανίων έριχνον μεγάλη ποσότητα σουμάδας διά να τρέξει σερμπέτι εις τον λαόν εις όλες τες βρύσες της πόλεως, όλοι οι χοτζάδες επί των μιναρέδων με μέτωπον την Μέκκαν, την πόλιν όπου ετάφη ο προφήτης των Μωάμεθ. Εις το κέντρον της πλατείας Σπλάντζιας, όπου ο μητροπολιτικός ναός των Μουσουλμάνων, ο μιναρές του είχε δύο μπαλκόνια, εν αντιθέσει όλων των άλλων της πόλεως που είχον μόνο ένα μπαλκόνι, τα Χανιά είχον έντεκα εν όλω μιναρέδες. Εις την πλατείαν αυτήν ήτο πολυτελέστατο περίπτερον εις το οποίον προσήρχοντο οι άρχοντες υποχρεωτικώς με επίσημον ένδυμα και χαιρετούσαν την δημογεροντίαν καθισμένοι σε ντιβάνι, όχι καρέκλες, αι χανούμισσαι ποτέ δεν ελάμβανον μέρος εις δημοσίας εμφανίσεις, ούτε εδέχοντο ούτε επισκέπτοντο. Το εσπέρας διά το εορτάσιμον της αναγνώσεως του φιρμανίου εγένοντο φωταψίαι με κανδήλες εις όλους τους μιναρέδες, φαντασμαγορική φωταψία, με ακρίβεια τοποθετημένες χιλιάδες κανδήλες εις όλα τα μπαλκόνια. Ο Μάλμος και η μαγική φλυαρία του. Και πλέουν τα Χανιά στο φως, τα βλέπει να ταξιδεύουν στον χρόνο.

Κι εδώ, προσέξτε το, αλλά εκ του μακρόθεν, έως και ο αέρας σας θα ημπορούσε να το βλάψει. Εδώ προφυλαγμένον το δεύτερον αυτόγραφον φιρμάνιον. Ο συμπολίτης μας Μπεξέτ Πασάς Αγαζαδέ ανακηρύσσεται πασάς Βάμου. Είναι ο μόνος Πασάς γεννηθείς και αποθανών εις Χανιά. Ήτο δε

ο τάφος του εις τον Ντεκέν των Μεβλουγίδων, δη-
λαδή εις το Δεσποτικόν των Μουσουλμάνων, εις
το νυν Ορφανοτροφείον Χανίων. Το αυτόγραφον
τούτο έγγραφον, με χρυσούν δακτυλικόν αποτύ-
πωμα του Σουλτάνου αντί υπογραφής, δεν μετε-
φράσθη ακόμη, είναι πολυτελέστατον, το βλέπε-
τε, με σινικήν μελάνην όλην μαύρην και με φυτά
του Κορανίου χρυσά. Συνέχιζε ακάματος ο Μάλ-
μος την παρουσίαση σε αρχαιοπρεπή, στομφώδη
ελληνικά, πότε σολοικίζων, πότε βαρβαρίζων, όπως
τους είχε εξηγήσει με περιγελαστική σχεδόν διά-
θεση ο στριμμένος φιλόλογός τους, ο επίμονος
Agricola. Κοπιάστε να δείτε εκ του σύνεγγυς Βι-
βλίον υπό τον τίτλον «Το Γεωπονικόν», συντα-
χθέν υπό του Αγαπίου μοναχού του Κρητός, Ενε-
τίησι 1709, παρά τω Νικολάω τω Σάρω, βιβλίον
αναγκαιότατον διά τον λαόν, εν ω περιέχονται
ερμηνείαι ωφέλιμοι περί σπερματώσεως καρπών
και φυτεύσεως δένδρων. Ιδού και εν χειρόγραφον
Κοράνιον αραβιστί, του 1640, σελίδες διακόσιες
σαράντα οκτώ, μικρογραφικόν, χωράει εντός κυ-
τίου πυρείων, με ερυθράν και μαύρην σινικήν με-
λάνην, με χρυσές διακοσμήσεις...

Για πενταροδεκάρες λένε ότι τα αγόρασε, μην
πω ποιος, της εξηγούσε χρόνια αργότερα η υπάλ-
ληλος, εποχή που αναζητούσε τα ίχνη του στη Δη-
μοτική Βιβλιοθήκη, όλα τα σπάνια πρόλαβαν και
τ' αρπάξανε οι επιτήδειοι λίγο προτού πεθάνει,
πέθανε πάμφτωχος, δεν είχε όμως μέτρο κι έλεγχο,

μπαινόβγαιναν στο σπίτι του νυχθημερόν διάφοροι, και μας απέμειναν το «Ρομάντζο» και ο «Θησαυρός», τόσο σπουδαία βιβλιοθήκη, και καταστράφηκε, αλλά μπορεί και ποτέ να μην υπήρξε σπουδαία, μόνο ο θρύλος της. Πώς, αντέδρασε ενοχλημένη, Κοράνια ολόχρυσα, σουλτανικά φιρμάνια, τα είχε δει όλα με τα μάτια της και τα είχε θαυμάσει, Ευαγγελιστάρια, περγαμηνές με την Παλαιά Διαθήκη σε αραμαϊκή γραφή, πενήντα χειρόγραφα αραβικά αγνώστου περιεχομένου, δώδεκα χιλιάδες τόμοι, όσοι και του πλοιάρχου Νέμο, δυόμισι χιλιάδες διπλά βιβλία, εκατόν σαράντα εννιά τόμοι εφημερίδες και περιοδικά, δυο χιλιάδες τρακόσιοι δεκαεννιά τόμοι για την Κρήτη, ακόμη και ο *Κρητικός πόλεμος* του Δον Νίκολα Βελλάγιο, *το πρώτο βιβλίο που γράφτηκε από Ενετό, μετά την κατάληψη των Χανίων από τους Τούρκους, κι αυτό το σπανιότατον, εκδοθέν το 1647 στην Μπολόνια, είχεν προσφάτως την περιπέτειά του,* κλαψούριζε ο Μάλμος *εκείνο το πρωινό, το έκλεψαν μαζί μ' ένα μικρό Κοράνι και τη Σολομωνική του Οικονομόπουλου, τέλος καλό όμως, όλα καλά, κατόπιν πολλών ενεργειών μας και ενδελεχούς συνεργασίας εννέα μαθητών αναγνωστών μας, εκατορθώσαμεν να μας επιστραφούν χθες μόλις υπό εργάτου φίλου μας, κατοίκου Χανίων, προθυμοποιηθέντος να τα ανεύρει, άγνωστον, εάν αυτός είναι ο κλέπτης ή δύο εργατικοί επισκέπται την ώραν εκείνη, των οποίων τα ονόματα αγνοούμεν.*

Τα είχε δει, επέμενε, όλα με τα μάτια της· κι εκείνο το θαυμάσιο –αϊτός με κλειστές φτερούγες και το σώμα του αϊτού σχεδιασμένο με γράμματα, όλο το Κατά Ιωάννην στα λατινικά, και γύρω στον αϊτό μαίανδρος με τα πάθη του Χριστού, έργο του 1520– τι να απέγινε; Και τα Κοράνια με κομμένα τα περιθώρια των σελίδων, τα 'κοβαν, λέει, οι χοτζάδες και τα 'διναν χαϊμαλιά στους πιστούς, και τα προϊστορικά απολιθώματα, το απολίθωμα της καρδιάς και το απολίθωμα του κρανίου, και τα αραχνοΰφαντα υφάσματα, τα γυαλικά, τα χρυσά σκεύη, η χαλκογραφία με τη Μάχη της Ισσού, τα συρμάτινα γυαλάκια του Βενιζέλου, ο καναπές και η λάμπα της πρώτης γυναίκας του, τι απογίνανε; Και οι αρμαθιές τα κομπολόγια, μουσουλμανικά, αραβικά, εβραϊκά, τα χαλιά, οι λάμπες και οι κανδήλες, τα σκρίνια και οι θρόνοι, τα βαλσαμωμένα ζώα; Μαξιλαράκια κεντητά, υφαντά, δαντέλες στο βελονάκι και στο κοπανέλι, κουρτίνες στ' αεράκι, καθρέφτες, ανθοδοχεία, μελανοδοχεία, και οι δυο νεαροί στον μακρόστενο πάγκο που έκαναν ότι διαβάζουν αλλά κρυφογελούσαν πονηρά; Τα είδε όλα με τα μάτια της στη Μάλμειο Βιβλιοθήκη: Αλάβαστρα, αγάλματα, αγγεία, μπακίρια, ναργιλέδες, καριοφίλια, μαχαίρια, κεφαλομάντιλα κρητικά. Τι απογίνανε;

Τι απογίνανε και τα δικά της βιβλία, τα πρώτα, με το καρτελάκι στον δοσά και τ' άλλα από τα καρο-

τσάκια της Πανεπιστημίου και της Ακαδημίας; Η
Θεία Κωμωδία σε μετάφραση του Καζαντζάκη, ο
Αισχύλος, το Συμπόσιον με σχόλια και μετάφραση
του Συκουτρή, ο Σέξπιρ σε εκδόσεις Δαρεμά, ο
Δαρβίνος, τα μαρξιστικά, οι Αθηναίοι ρήτορες, ο
Θουκυδίδης, πενήντα βιβλία, τα πρώτα της σε μια
βιβλιοθήκη από καπλαμά, τότε που έλεγε σ' αυτό
το ράφι η ποίηση, σε τούτο η πεζογραφία, στο άλλο
τα θεωρητικά, στο παράλλο οι αρχαίοι, έπειτα ήρ-
θαν και τη συνέλαβαν, πήραν ακόμη και τον Θουκυ-
δίδη, εποχή που οι ασφαλίτες πουλούσαν στους πα-
λαιοπώλες τις βιβλιοθήκες των αριστερών, κι έτρι-
βαν οι παλαιοπώλες τα χέρια τους, εκεί να δεις, τα
σπάνια και τα μοναδικά στον ίδιο σωρό με τους κα-
ζαμίες και τους τσελεμεντέδες. Από την αρχή πάλι,
Κυριακή πρωί στο Μοναστηράκι, θα ξανάβρισκε
σημαδεμένα από τις υπογραμμίσεις της τα *Ποιή-
ματα* του Γιάννη Ρίτσου, αλλά δεν θα 'χε χρήματα
να ξαναγοράσει τους τρεις εκείνους τόμους, κι όταν
αργότερα θα γνώριζε τον Ρίτσο από κοντά, ξεχρεώ-
νει ακόμη εκείνα τα βιβλία που της άρπαξαν, θα
του 'λεγε και θα τον συγκινούσε, περνούσαν έκτοτε
τα χρόνια, ένα ένα τα βιβλία της, αριθμημένα, τα-
κτοποιημένα ανάλογα με τη διάθεσή της, εδώ τα
αγαπημένα της, εκεί τα άλλα, πόσα βιβλία θα αγο-
ράζει τον μήνα; Όλους τους Γάλλους και τους Άγ-
γλους, τους Αμερικάνους και τους Ρώσους. Τους
Ιταλούς, τους Λατινοαμερικάνους λίγο αργότερα.
Τους Κεντροευρωπαίους γερμανόφωνους. Εδώ αυ-

τά που διάβασε, εκεί αυτά που θα διαβάσει. Και στο ραφάκι το σκαλιστό οι ακριβοί της πεζογράφοι. Δεν τα χωρούσε πια η βιβλιοθήκη, αγόρασε μια πιο μεγάλη και μια άλλη ακόμη πιο μεγάλη. Ύστερα απλώθηκαν τα ράφια και καλύφθηκαν σχεδόν οι τοίχοι σε όλα τα δωμάτια. Πόσες χιλιάδες μαζεύτηκαν; Δεν τα μετράει πια, ούτε γράφει το όνομά της στο πρώτο λευκό δισέλιδο. Κι είναι τα πιο πολλά αυτά που δεν θα αποκτήσει ποτέ, και το ξέρει, κι είναι τα περισσότερα αυτά που δεν θα μπορέσει ποτέ να διαβάσει, κι ας τα 'χει από καιρό στα ράφια, τα ξεσκονίζει όμως και τα αγαπάει, το σύμπαν της από τον χυμό των αμυγδάλων του Θεού. Και θυμάται τον Σπύρο Τσακνιά που της έλεγε ένα μεσημέρι στην Πλατεία Ελευθερίας, έξω από το φαρμακείο, ότι αφήνει για το τέλος τις Αναμνήσεις από το σπίτι των πεθαμένων, να ζει και να ξέρει ότι έχει ακόμη να διαβάσει άλλο ένα βιβλίο του Ντοστογιέφσκι. Πέθανε όμως απρόσμενα ο Σπύρος, κι όταν το 'μαθε, το πρώτο που σκέφτηκε ήταν αν είχε κάτι προαισθανθεί κι αν είχε προλάβει να διαβάσει εκείνο το μυθιστόρημα που φύλαγε για τα στερνά.

(2000)

251

Σημείωση

Τα πεζογραφήματα του βιβλίου (εκτός από *Το βλέμμα του παιδιού* και *Χαμπλή πτήση*), γραμμένα για συγκεκριμένο κάθε φορά λόγο, έχουν δημοσιευτεί σε χρονικό διάστημα μιας εικοσαετίας σε εφημερίδες, λογοτεχνικά περιοδικά ή ανθολογίες (βλ. Πρώτες δημοσιεύσεις). Σε όλα τα κείμενα, κατά τη μεταγραφή και επεξεργασία τους για την παρούσα συγκεντρωτική έκδοση, έγιναν αρκετές προσθαφαιρέσεις, και φραστικές, κυρίως, αλλαγές. Στο τέλος κάθε κειμένου σημειώνεται η χρονολογία πρώτης γραφής, που δεν συμπίπτει πάντα με τη χρονολογία πρώτης δημοσίευσης.

Μ. Δ.

Πρώτες δημοσιεύσεις

Δεν είναι απλό: «Τα Νέα», θεματική ενότητα: *Πολιτικώς (μη) ορθό,* Αύγουστος 2003

Σας αρέσει ο Μπραμς;: «Κυριάκου Κατζουράκη: *Ο Δρόμος προς τη Δύση»,* Εκδόσεις Μεταίχμιο, 2001

Αναδημοσίευση αποσπάσματος στον συλλογικό τόμο *Ο δρόμος για την Ομόνοια,* «για τις ανάγκες των Τίμοθι και Τόμι», Εκδόσεις Καστανιώτη, 2005

Στον αυλόγυρο του Αϊ-Γιαννιού: «Τα Νέα», θεματική ενότητα: *Εμείς και οι άλλοι,* Ιούλιος 2000

Αναδημοσίευση με τον τίτλο *Στην αυλή του Αγίου,* Σειρά: «Ελληνικό Διήγημα 2», Εκδόσεις Μεταίχμιο, Μάρτιος 2002

Ρολογάκι χειρός: «Καθημερινή», Δεκέμβριος 2007

Στο προτελευταίο θρανίο: «Ελευθεροτυπία», Αύγουστος 2009

Εις το βουνό ψηλά εκεί: «Τα Νέα», θεματική ενότητα: *Εκατό χρόνια μετά,* Ιούλιος 1994

Αναδημοσίευση: *Το ελληνικό φανταστικό διήγημα,* τόμος δ΄, Εκδόσεις Αίολος, Αθήνα 1997

Μεσημέρι στο Τολέδο: «η λέξη», αφιέρωμα: *Ταξίδια στον κόσμο,* Μάιος-Ιούνιος '96

Αναδημοσίευση: «Ελευθεροτυπία», Ιούλιος 1996

Σκάβοντας δίπλα στο παιδί: Μεταφρασμένο στα ιταλικά από τον Nicola Crocetti με τον τίτλο «Diafèmisi-Pubblicità» στο *Dizionario della Libertà,* Passigli Editori, 2002, σ. 41-50

Αναδημοσίευση: «η λέξη», Ιανουάριος-Μάρτιος 2008

Η μνήμη του νερού: Σειρά: «Συναντήσεις», *Μοναχικά ανδρόγυνα,* Εκδόσεις Μίνωας, 2002

Χωρίς παλτό: Με τον τίτλο *Σε ριζιμιό χαράκι,* «η λέξη», αφιέρωμα: *Η Κρήτη,* Γενάρης-Σεπτέμβρης 2007

Από τραπέζι σε τραπέζι: «Εντευκτήριο», θεματική ενότητα: *Γύρω από το τραπέζι,* Οκτώβριος-Δεκέμβριος 2009

Τα καθάρματα: «Το δέντρο», Σεπτέμβριος-Οκτώβριος 1989

Ταξιδεύοντας με μια φωτογραφία: «η λέξη», αφιέρωμα: *Φωτογραφία,* Σεπτέμβρης-Δεκέμβρης 2000

Τριάντα χρόνια πριν και τριάντα μετά: «Τα Νέα», θεματική ενότητα: *Από τον 20ό στον 21ο αιώνα,* Ιούλιος 1999

Από τον χυμό των αμυγδάλων του Θεού: Σειρά: «Κείμενα και εικόνες», *Άρωμα βιβλίου,* Εκδόσεις Πατάκη, Μάιος 2000